René Barjavel

La faim
du tigre

Denoël

Ce livre, dans lequel Barjavel s'interroge sur l'avenir de l'humanité, a obtenu le Prix Lecomte du Nouÿ, en 1973.

René Barjavel est né le 24 janvier 1911, à Nyons (Drôme), à la limite de la Provence et du Dauphiné. Études au collège de Cusset, près de Vichy. Fut successivement pion, démarcheur, employé de banque, enfin, à dix-huit ans, journaliste dans un quotidien de Moulins. Rencontre un grand éditeur qui l'emmène à Paris comme chef de fabrication. Collabore à divers journaux comme *Le Merle blanc* et commence son premier roman. La guerre survient. Il la fait comme caporal-cuistot dans un régiment de zouaves. Fonde à Montpellier un journal de jeunes. Publie *Ravage* (1943) et la série de ses romans extraordinaires, dont *Le Voyageur imprudent,* qui préparent en France la vogue de la science-fiction.

A partagé, depuis, son temps entre le roman, le journalisme et le cinéma comme adaptateur et dialoguiste.

*La faim du tigre
est comme la faim de l'agneau*

Charles-Louis Philippe.

La première édition de cet ouvrage a été publiée en mai 1966. La présente édition est sa reproduction fidèle, sauf quelques corrections de style. Les mêmes questions s'y trouvent posées. Bien entendu, je n'ai pas trouvé la réponse.

R. B.
Septembre 1971.

Jamais je ne m'habituerai au printemps. Année après année, il me surprend et m'émerveille. L'âge n'y peut rien, ni l'accumulation des doutes et des amertumes. Dès que le marronnier allume ses cierges et met ses oiseaux à chanter, mon cœur gonfle à l'image des bourgeons. Et me voilà de nouveau sûr que tout est juste et bien, que seule notre maladresse a provoqué l'hiver et que cette fois-ci nous ne laisserons pas fuir l'avril et le mai.

Le ciel est lavé, les nuages sont neufs, l'air ne contient plus de gaz de voitures, on ne tue plus nulle part l'agneau ni l'hirondelle, tout à l'heure le tilleul va fleurir et recevoir les abeilles, les roses vont éclater et cette nuit le rossignol chantera que le monde est une seule joie. Tout recommence avec des chances neuves et, cette fois, tout va réussir. J'ai un an de moins que l'an dernier. Non, pas un an, toute ma vie de moins. Je suis une source qui commence. C'est la grande illusion annuelle. Le règne végétal s'y laisse prendre en premier. D'un seul élan, des milliards d'arbres et de plantes resurgissent, poussent des tiges enthousiastes, déplient des feuilles parfaites qui n'ont pas de raison de ne pas être éternelles. Pourtant, dans l'autre moitié du monde, l'automne est déjà là et a jeté au sol ces merveilles que l'hiver va pourrir.

Mais pour nous que le printemps aborde, l'automne est invraisemblable et l'hiver n'a pas plus de réalité que la mort. Le marronnier est blanc comme des communiantes, le pêcher est une flamme rose, le lilas une torche. Dans tous les jardins, les champs et les forêts, dans les immensités cultivées ou sauvages, sur chaque centimètre carré de terre non déserte, c'est le prodigieux déploiement de l'amour végétal silencieux et lent.

Chaque fleur est un sexe. Y avez-vous pensé quand vous respirez une rose? Chaque fleur est même, le plus souvent, deux sexes, le mâle et la femelle, et sa vie brève est, dans un flamboiement de beauté, l'accomplissement de l'amour. Le pêcher rose se fait l'amour par toutes ses fleurs, et chaque graminée en fait autant, et les champs de la Beauce et de l'Ukraine, plus loin que tous les horizons, sont d'immenses champs d'amour. Dans la moitié du monde, en quelques semaines, plantes et arbres libèrent des milliards de tonnes de pollen dont les grains microscopiques vont pour la plupart se perdre au vent. Quelques-uns, par la grâce du hasard, de la brise ou des insectes, atteindront un pistil dans son érection figée et iront féconder les ovules. Pour que la vie continue.

Pour que la vie continue, le règne animal à son tour s'émeut. Dans les forêts et les champs, sous les cailloux, sous les écorces, dans l'épaisseur de la terre et dans le vent, toutes les espèces animales, du ciron à l'éléphant, jettent leurs mâles à l'assaut des femelles. Dans chaque trou d'eau, dans les mares, les fleuves et les mers, les femelles des poissons pondent des milliards d'œufs sur lesquels les mâles viennent projeter leur semence.

Pendant quelques jours, les eaux vivantes ne sont plus qu'un immense brassage séminal.

Dès que les alevins jaillissent en bouquets de ce magma générateur, leur agitation naïve attire vers eux les gueules affamées. La plupart sont aspirés, avalés, digérés dans les premiers instants de leur existence. Quelques-uns auront le temps de mûrir et de devenir poissons et de pondre à leur tour avant d'être avalés.

Quelques-uns. Assez pour que la vie continue.

Tout être vivant normalement constitué n'est qu'un organe de reproduction. Les organes divers qui lui sont associés sont tous à son service et n'existent que pour lui permettre de survivre, et d'accomplir sa mission.

La matière vivante ne semble pas avoir d'autre raison d'être que de s'étendre dans l'espace et se perpétuer dans le temps.

Les espèces et les individus chargés d'assurer cette double expansion n'ont aucune possibilité de se soustraire à leur devoir, leur existence est aussi froidement tendue par lui que le fil à plomb par la pesanteur. Même si le vent l'émeut, il revient toujours à la verticale, et c'est toujours autour d'elle qu'il balance.

L'homme se plaît à penser qu'il est un être total, indépendant, qui sait ce qu'il fait et fait ce qu'il veut, dans le cadre des lois et des usages. En réalité, son existence individuelle n'est qu'une illusion destinée à lui donner, pendant le temps utile à l'espèce, le goût de la vie, afin qu'il la conserve et la transmette.

Il n'est qu'un porteur de germes. Il doit donner la vie qu'il a reçue, il ne sert qu'à cela, il naît, pense, travaille, se bat, souffre uniquement pour cela, et s'il meurt sans l'avoir fait, d'autres l'ont fait autour de lui, son existence inutile ne compte pas plus que son existence utile, ce qui compte, c'est la vie de l'espèce.

Chaque fois qu'il fait l'amour, le mâle humain jette à l'assaut de la cellule femelle environ 800 millions de spermatozoïdes. Vingt fois la population de la France. L'espèce humaine compte aujourd'hui environ 1 500 millions d'individus mâles dont peut-être 400 millions sont en âge de maturité sexuelle. Ces calculs ne s'appuient sur rien de précis. Seul leur ordre de grandeur vertigineux est juste sinon exact. Admettons que la moitié seulement de ces mâles actifs fassent l'amour une fois par vingt-quatre heures, cela représente 160 millions de milliards de cellules reproductives libérées chaque jour. Environ une de ces cellules sur 150 milliards atteindra un ovule et provoquera une naissance. Le reste périra.

Ce gaspillage inimaginable est une des précautions élaborées par l'espèce pour assurer sa pérennité. Malgré les barrages et les précautions, l'hydrothérapie et les oginos, l'ovule régulièrement pondu, implacablement assiégé par l'innombrable, sera un jour percé par la flèche vibrante d'un spermatozoïde, et de cellule se transformera en individu qui émettra à son tour des gamètes mâles ou femelles.

Les hommes et les femmes qui ont vécu et sont morts sans avoir eu d'enfants ont été, autant que les hommes et les femmes féconds, télécommandés, tout le long de leur existence, par une paire de glandes minuscules qui a dirigé tout leur comportement. Ce sont ces glandes qui leur ont fait éprouver le désir et l'amour auxquels ils se sont livrés avec bonheur, ou dont ils ont souffert d'être frustrés, ou auxquels ils ont volontairement résisté. Qu'ils aient nagé dans le sens de ce courant vital, ou qu'ils se soient mis en travers ou qu'ils aient tenté de lutter contre lui, qu'ils aient été joyeusement emportés, ou qu'ils se soient ancrés ou qu'ils aient fait naufrage, toute leur existence individuelle, familiale et sociale a dépendu de lui à chaque instant. Roméo, c'est une légion de gamètes mâles qui montent à l'échelle pour rejoindre le gamète femelle qui les attire avec une force irrésistible. On sait quelle joie et quels malheurs en résulteront pour les deux êtres humains qui les portent. Don Juan et ses victimes c'est cela, et aussi Chimène, et Messaline et Onan, et tous les couples anonymes qui constituent le tissu vivant de l'humanité et aussi les isolés, les abandonnés, les déçus, et aussi les homosexuels. Ceux-ci ne sont pas plus libres que les autres. Ils sont, eux aussi, commandés par le besoin d'éprouver les délices charnelles de l'amour.

Ces délices, c'est l'autre précaution élaborée par la vie pour assurer sa continuité. Le désir qui pousse l'individu vers ces joies avant même qu'il ait atteint la maturité nécessaire à sa fonction, c'est la grande volonté de l'espèce, impérative, inexorable, universelle. Qu'il en soit conscient ou l'ignore, qu'il y obéisse ou se révolte, tout être humain subit cette volonté aussi fatalement que la présence de son corps.

Chacun de ces spermatozoïdes, celui qui atteint l'ovule, et les cent cinquante milliards qui périssent, emporte des ordres pour la suite des temps. Il est la vie qui se poursuit, il est aussi le *comment* de cette vie.

Chaque jour, une armée égale à plus de cinquante millions de fois la population de la Terre part à l'assaut de l'avenir et périt. Et chaque jour une autre armée se lève et recommence. Il suffit qu'un soldat sur cent cinquante milliards survive à cette hécatombe pour que l'avenir soit assuré et les ordres transmis.

Dès que le spermatozoïde invisible a pénétré dans l'ovule imperceptible, toute la physiologie de l'homme qui naîtra de cette union est fixée. L'ovule et le spermatozoïde apportent chacun leurs ordres qui se combinent, se mélangent, s'ajoutent ou se retranchent, pour composer le plan total de fabrication. Cela donnera un homme mâle ou femelle, qui sera comme ceci ou comme cela, mais sera toujours un être humain.

Il est tout à fait prodigieux, si l'on y réfléchit un peu, que jamais, depuis que le genre humain se souvient de lui-même, jamais une femme ayant reçu en l'un de ses ovules un spermatozoïde apporté par un homme n'ait accouché d'un cheval, d'un escargot ou d'une laitue.

L'ovule a deux dixièmes de millimètre de diamètre. Le spermatozoïde est des milliers de fois plus petit. Leur poids total ne doit pas atteindre la moitié d'un milligramme. Il n'y a pas de mot dans la langue française pour désigner cette infime quantité de matière, ce moins que fétu, ce soupçon. Et pourtant cet infinitésimal contient tout le programme de fabrication de l'adulte, dans son ensemble fini et dans ses moindres détails : la couleur de ses cheveux, mais aussi leur nombre, et ce grain de beauté hérité d'un ancêtre du sixième millénaire, et qui jusqu'à la fin des siècles ornera de temps en temps la fesse gauche d'une femelle de la lignée; et le buste rond ou plat, les épaules tombantes ou carrées, les ongles souples ou cassants, et du poil ou non sur les doigts de pied. Et la façon dont se plisse le coin de l'œil pendant le sourire, la forme du geste du bras qui s'avance pour saisir un objet, le son de la voix, le sommeil léger ou profond, les rêves peut-être... Tout cela est dans ce minuscule, tout le particulier qui différencie des autres et lie à ses ancêtres l'individu qu'il va fabriquer.

Mais avant ce particulier il y a aussi, il y a surtout le général, le plan général de fabrication qui est le même pour tous les individus d'une même espèce.

Dès qu'ils se sont mélangés pour ne plus faire qu'une seule cellule, l'ovule et le spermatozoïde commencent à se diviser. L'œuf, cellule unique de base, qui contient tout le devenir, se divise en deux, puis en quatre, en huit, en seize, trente-deux, soixante-quatre, etc., en une fabuleuse progression géométrique qui finira par fournir les milliards de cellules nécessaires à la construction d'un individu complet. Et chacune des deux, quatre, huit, seize... chacune des milliards de cellules a emporté les ordres.

Les ordres de l'espèce qui font qu'elle contribue à fabriquer un homme et non un cheval, un escargot ou une laitue.

Les ordres de la lignée, qui font qu'elle contribue à fabriquer une Suédoise aux cheveux de lin et aux yeux bleus, ou un Chinois, ou un Auvergnat, ou une mulâtresse, un grand ou un petit, tordu ou boiteux, une adipeuse ou un musculaire.

Les ordres de l'organe qui fait qu'elle va se différencier, se spécialiser et prendre place dans le foie, ou le cerveau, la rétine, l'estomac, et qu'elle saura exactement quel genre de travail elle devra exécuter.

Les ordres de la cellule, qui font qu'elle saura recevoir du sang et de la lymphe, les nourritures multiples, les transformer pour les besoins de l'individu, les besoins de l'organe et ses propres besoins, fonctionner comme une usine chimique, électrique et atomique, infiniment perfectionnée et complexe, fabriquer une quantité précise d'énergie ou de produits déterminés, les mettre en circulation ou en réserve, rejeter les déchets et mourir quand il faudra, après s'être fabriqué une remplaçante à laquelle elle aura transmis les ordres.

Chacune de ces milliards de cellules fait exactement ce qu'elle doit faire, à la place exacte où elle doit le faire et où elle s'est installée pendant la fabrication de l'individu. Selon les ordres.

Jusqu'à la naissance, au-delà de la naissance, au-delà de la croissance, jusqu'à la mort.

L'individu ne s'est pas fait, il n'a pas voulu sa vie, et sa vie se continue sans le secours de sa volonté.

A aucun moment, il ne continue d'exister parce qu'il le veut. C'est une organisation totalement indépendante de sa conscience et de ses décisions qui le maintient en vie. Son intelligence est trop faible, son attention trop instable, son ignorance trop grande pour qu'il puisse assurer cette tâche, même pendant quelques instants. Si un individu devenait tout à coup responsable de son corps, celui-ci sombrerait aussitôt dans le désordre et la décomposition. Le gouvernement d'un monde aussi complexe que le corps humain réclame une connaissance totale des ressources de la matière et des lois de notre univers. Il exige un éveil perpétuel, une attention ininterrompue, une capacité de réception, de coordination et de décision qui ne laisse en dehors du circuit de la vie aucune parcelle de l'organisme. Tout cela est très loin au-dessus des possibilités de connaissance, de compréhension et de volonté humaines. L'homme est comme logé en lui-même à la façon d'un passager incompétent. Il ignore tout de la conduite d'un organisme qui ne dépend pas de lui, et qu'il est tout juste capable de détraquer par son comportement.

Ce n'est pas l'homme qui a décidé de son commencement, ce n'est pas lui qui fait le nécessaire à tout instant pour continuer de fonctionner, ce n'est pas lui qui doit décider du moment où son fonctionnement s'arrêtera. Le suicide est considéré par la plupart des religions comme le pire des péchés et provoque toujours, chez les proches de celui qui s'y est livré, une stupéfaction mêlée d'une sorte d'horreur.

Car c'est une intervention de l'individu dans un domaine qui n'est pas le sien. Peut-être le meurtre est-il moins grave : peut-être est-il biologiquement normal pour un individu de provoquer la mort d'autres individus, de même qu'il lui est normal de provoquer, sinon causer, d'autres naissances. Mais pas la sienne.

Au cours des siècles, en ouvrant avec un couteau son corps fermé sur ses secrets, l'homme a fini par apprendre en partie comment il fonctionne. Mais le prodige, ce n'est pas qu'il sache enfin, à peu près, à quoi sert chacun de ses organes, c'est que chaque organe sache, lui, à quoi il doit servir. Et que le cœur batte, que les glandes sécrètent, que l'intestin digère, que le foie transforme, que le sang transporte, nourrisse, nettoie, défende, que chaque organe, que chaque cellule sachent ce qu'ils ont à faire et le fassent exactement, sans que s'en mêle l'individu qu'ils composent.

L'autre prodige, c'est que chacun de ces organes se soit fabriqué et mis à sa place, à partir d'un demi-milligramme de matière vivante. Et que l'anus ne se soit jamais installé à la place du nombril, l'estomac dans le crâne, les yeux sous les pieds, la peau à l'envers, le cœur dans la main...

Produit de la transformation de la cellule initiale et de l'activité de milliards de cellules usines, l'homme ne peut à aucun moment et d'aucune façon intervenir pour diriger leur travail. Il est leur résultat, non leur maître. Il les maltraite, les empoisonne, les asphyxie, les mutile. Elles font face, tant qu'elles peuvent. Quand la mort survient pour l'individu et pour elles, quand la matière vivante se défait et retourne aux éléments, une de ces cellules, ou deux, ou plusieurs parmi des milliards, s'est détachée de l'individu et a transmis la vie et les ordres. La forme de vie que lui et ses semblables sont chargés d'assurer continue. L'individu a servi à cela. Il a servi à maintenir, pour sa part infime, l'énorme courant qui entraîne, parmi tant d'autres, son espèce dans le temps et l'espace.

Né d'une goutte de vie qui porte des ordres, il doit porter plus loin l'une et les autres et faire, quand vient le moment, se détacher de lui des essaims de cellules messagères dont l'une ou deux ou plusieurs porteront plus loin que lui les ordres par lesquels il a vécu et qui lui survivront.

Déterminé par ses constituants, emporté par ce qu'il constitue, impuissant à se diriger, ignorant de sa direction, l'être humain n'a qu'une apparence de vie autonome. Son existence individuelle est une supercherie.

Les individus vivants, milliards d'hommes, de mouches ou de pissenlits, ne sont que des véhicules. La vie se fait porter par eux à travers le temps et l'espace.

Leur ingéniosité immobile ou leur agitation n'a d'autre but et d'autre effet que ce transport dont ils n'ont pas conscience. D'une génération à l'autre c'est, dans chaque espèce, *la même vie* qui se transmet depuis le commencement d'elle-même.

Quand une cellule reproductrice femelle et une cellule reproductrice mâle se sont confondues pour former une cellule fécondée, celle-ci va aussitôt se mettre à se diviser pour fabriquer un individu nouveau de son espèce. Dès le début de cette division, la cellule met de côté une partie d'elle-même. Le reste va former l'individu tout entier. L'infime partie mise à part dès le début constituera les nouvelles cellules reproductrices qui, à travers ce nouvel individu, se projetteront en avant pour former de nouvelles cellules reproductrices à travers de nouveaux individus.

Si l'on détruit cette infime parcelle dès qu'elle a été séparée du reste de l'œuf, celui-ci continue à se diviser et fabrique un individu normal, complet, possédant même des glandes génitales, mâles ou femelles. Mais ces glandes ne fabriqueront ni ovule ni spermatozoïde : elles ne contiennent aucun germe reproducteur. L'individu fabriqué a reçu l'hérédité de l'espèce et celle de ses parents, il a reçu sa portion de vie individuelle, mais il n'a pas reçu *la vie de l'espèce* et ne pourra pas la transmettre. Le courrier court, mais sa sacoche est vide...

Il semble donc qu'il y ait dans la cellule reproductrice une part qui ne se mélange pas à l'individu qu'elle fabrique.

Une cellule reproductrice fécondée fabrique, *d'une part,* de nouvelles cellules reproductrices, *d'autre part,* l'individu chargé de les porter et de les transmettre au suivant. Les cellules reproductrices semblent se transmettre, de génération en génération, une substance porteuse de vie absolument indépendante, ininterrompue à travers le temps et multipliée dans l'espace vivant. Pour assurer cette tâche, elles parasitent et occupent en maîtres chacun des individus porteurs qu'elles ont fabriqué tout le long du temps.

La vie apparente, celle de l'individu, n'est qu'une vie bornée, un fragment temporel qui lui est accordé pour qu'il puisse accomplir sa mission de porteur.

La vie véritable, perpétuelle, qui se continue sans interruption depuis le premier vivant, est celle de cette substance multipliée dans l'espace et continue dans le temps, la même chez tous les individus d'une espèce, et peut-être la même à travers tous les vivants de toutes les espèces, puisque, lorsqu'on la détruit dans l'œuf, les caractères individuels, raciaux et spécifiques de l'individu qui naîtra quand même n'en sont pas affectés, ce qui montre qu'elle est indépendante de tout ce qui est *particulier*.

Ce vivant unique et multiple, réparti à travers tous les êtres vivants, est-il le véritable possesseur de l'intelligence, de la connaissance et de la conscience?

Il est certain que :

c'est lui qui fabrique l'homme, l'agneau et la laitue, et pas nous;

c'est lui qui a construit et mis en place chaque organe de notre corps, et pas nous;

c'est lui qui fait battre notre cœur, et pas nous;

c'est lui qui continuera, et c'est nous qui allons mourir.

Pourquoi se préoccuper de tout cela? Puisqu'il y a la vie, et que nous sommes dedans, eh bien, vivons!

Bien sûr... Il n'y a qu'à vivre... C'est ce que nous faisons tous, c'est ce que tu fais d'habitude. Mais il suffit d'un instant... Tu es assis là, sur une pierre chaude ou le sable de la plage, ou sur le bois poli de la chaise où tu t'assieds jour après jour pour travailler. Tu te reposes ou tu travailles, ou tu manges ou tu bois ton café. Toute la vie coule autour de toi. Et toi avec.

Milliards d'hommes, milliards de milliards d'êtres vivants et d'étoiles. Et toi avec. Sans que tu t'en soucies.

Depuis vingt ans ou quarante ou soixante, tu fais partie de tout. Ce tout qui se dilate ou se contracte ou qui monte ou descend, qui vient de quelque part et va quelque autre part.

Et toi avec.

Tu y es à ta place, avec ta forme à toi, et ta fonction, que tu ignores. Tu travailles, tu dors, tu respires sans te préoccuper. Tu existes. Comme le grain de sable sur la plage.

La marée te roule et te mouille, le soleil te sèche, le vent t'emporte et te laisse tomber.

Tu tiens ta place de grain de sable. Milliards de milliards sur la grande plage.

Et toi avec.

Tu nais, tu vis, tu fais des enfants, tu travailles pour eux, pour les autres, contre les autres, contre les tiens, tu aimes, tu hais, tu te bats, tu es heureux, malheureux, tu manges, tu pleures, heureux au fond malgré tous les malheurs, sans réfléchir, le train t'emporte, tout va, tu vas, tu es assis sur une pierre de vacances ou sur ta chaise de travail...

Et tout à coup, suspendu entre le vent, la marée et le soleil, suspendu immobile abandonné tout seul, tout à coup suspendu brutalement lucide, un instant, un éclair, *tu n'es plus dans le coup...*

Tout à coup, tu vois le *fonctionnement* autour de toi. L'énorme prodigieux tourbillon qui entraîne tout et tout depuis des milliards de temps jusqu'au fond des milliards d'éternités, du fond des milliards d'espaces jusqu'au fond des milliards d'infinis.

Milliards de milliards de multiples créatures en mouvement, atomes, cellules, individus, étoiles, galaxies, univers, tout en vient et tout y va.

Et toi avec.

Où?

Un instant, un éclair suspendu, tu as vu. Le temps de comprendre que tu n'es rien, sans importance, nul, moins que zéro. Milliards de milliards de multitudes emportées. Et toi avec, parmi les multitudes de multitudes dont chaque grain a autant d'importance que toi. Ni plus ni moins. Ni moins la patte de mouche ni plus la Lune. Comme la Lune. Comme la Lune, toi, ta famille, humanité, galaxies, univers : zéro, poussière de poussière, rien, rien, dans le Tout.

Le Tout tourbillonnant immobile en voyage depuis où jusques à quand. Toi zéro. Toi, tes coliques, ton envie de sexe et de Légion d'honneur, ton petit ventre à soupe, tes seins d'amour, tes moustaches, ta robe de soie, ta fameuse cervelle, ta belle jambe, toi zéro.

Tu as repris ta place dans le vent et la marée. Mais inquiet. Brûlant le sable, dure la chaise. A quoi bon ces durillons aux fesses, ces mains calleuses, cette fumée par les oreilles? A quoi bon cette bataille? Naître, vivre, mourir? Vivre? Vivre? Pourquoi? Pourquoi?

Ce n'est pas toi qui répondras, ni moi non plus. Mais, sans espoir de réponse, si tu ne cries pas la question, alors tu n'es qu'un os...

Les espèces ont-elles conscience de leur mission ? Le genre humain sait-il qu'il doit continuer ? Si cette conscience collective existe, l'homme individu ne peut pas plus la connaître qu'une cellule musculaire de la cuisse d'un pilier de mêlée ne peut connaître les règles du rugby et le désir de vaincre. Et pourtant, toutes les cellules du joueur travaillent pour cette victoire.

Nous ne connaissons de l'Univers qu'une poussière, celle que nous habitons. Nous la connaissons mal, à travers nos sens limités en nombre et en pouvoir, par le moyen de notre faculté de compréhension semblable à un avion incapable de décoller.

Nous roulons d'un bout à l'autre de la piste, et même un peu dans le gazon adjacent, mais nous ne parvenons pas à acquérir l'élan suffisant pour survoler le paysage.

Nous en voyons et devinons pourtant assez pour nous rendre compte que sur la superficie très limitée de cette poussière se dispute une rencontre sauvage dont nous ignorons l'enjeu.

La transmission de la vie semble ne constituer

que le moyen de se déplacer dans la direction du but, ce qui ne veut pas dire que les joueurs s'en approchent ni qu'ils pourront jamais l'atteindre, ni même qu'il existe. Mais toutes les espèces vivantes jouent le jeu. Toutes ensemble jouent le jeu général, et chacune joue son jeu particulier. Elles s'entre-massacrent inexorablement, et si ingénieusement que la mort nourrit la vie et permet à la partie de se poursuivre et de progresser.

Le but est si lointain, si improbable, que si la matière vivante ne constituait qu'un seul être dont la vie n'aurait pas de limite temporelle, il est probable que cet être parviendrait à la lassitude et trouverait le moyen de renoncer à vivre, toute la Vie disparaissant alors avec lui.

La multiplicité des espèces, la brièveté de l'existence des individus exclut ce danger. *La vie continue parce que les individus sont mortels.* Aucun d'eux n'a le temps de comprendre ni la tentation de renoncer. Et même si l'un d'eux comprend et renonce, ou renonce parce qu'il n'a pas compris, la multitude autour de lui, avant lui, et après lui, continue.

Les individus naissent, vivent, tuent, passent la balle aux suivants, et disparaissent du jeu, retournant au stock des matières premières disponibles. Ils ne peuvent pas refuser de transmettre la vie parce qu'ils n'ont pas le temps de comprendre qu'ils le font. Leur vie brève ne sert qu'à produire d'autres vies, mais ils ignorent qu'ils ne servent qu'à cela. Ils ne sont que des reproducteurs mais ils ne savent pas qu'ils se reproduisent.

La biche qui s'offre au dix-cors dans la nuit d'un printemps de Chambord ignore les conséquences de la satisfaction de son désir, comme l'ignore le mâle qui la couvre. Les chats qui se battent pour une chatte dans un square et empêchent mille Parisiens de dormir ignorent que le geste du vainqueur se traduira par des chatons. La fleur du liseron ne sait pas qu'elle deviendra graine. Le liseron ne sait pas pourquoi il fleurit.

Poussés par les ordres irrésistibles inscrits dans leurs cellules et dont le printemps déclenche la mise en action, des milliards de végétaux mûrissent leur pollen et tendent leurs pistils, des milliards de mâles ensemencent les femelles sans savoir qu'ils vont devenir pères. La plupart, d'ailleurs, ignorent ce qu'est une progéniture. Leur acte accompli, ils s'éloignent, quand ils ne sont pas mis en pièces par les femelles. Il semble — il semble : nous ne pouvons être sûrs de rien en ce qui concerne la conscience animale et nous sommes encore plus ignorants du psychisme végétal — il semble que l'homme soit le seul parmi les vivants à établir une relation de cause à effet entre l'acte sexuel et l'enfantement. Certaines tribus australiennes n'ont même pas encore, paraît-il, fait le rapprochement. Quant aux hommes dits civilisés qui savent pertinemment que le sexe est l'instrument de la reproduction, ils sont cependant conditionnés de telle façon qu'ils oublient en général le but et se laissent tout bonnement tirer par le moyen, c'est-à-dire par le désir, tout comme le chat du square ou le cerf de Chambord.

C'est presque toujours avec surprise qu'une femme se rend compte qu'elle est enceinte. Et même quand la surprise est heureuse, ce qui est la minorité des cas, il lui faut un certain temps pour le croire et réaliser vraiment son état. Rapidement, elle accepte sa fonction nouvelle et s'en réjouit, mais l'événement lui est apparu d'abord comme invraisemblable et presque surnaturel. Alors que rien ne lui avait semblé plus naturel et allant de soi que de faire l'amour.

Quand l'homme et la femme qui se joignent gardent conscience que ce geste pourra donner naissance à un enfant, c'est en général parce qu'ils craignent cette conséquence et pensent aux précautions à prendre pour l'éviter. C'est pour rendre impossibles ces précautions que l'ignorance est de règle chez tous les êtres vivants. Le genre humain à ses débuts n'en savait sans doute pas plus long que les papillons ou les buffles, mais quand fut créé le langage, chaque génération put transmettre la somme de ses observations et de ses expériences à la génération suivante, qui y ajouta les siennes et les transmit à son tour.

Ainsi se créait, par-dessus les vies brèves des individus, une connaissance générale des faits qui s'accroissait avec le temps, pendant que se perdait peut-être une autre connaissance plus profonde à laquelle participe encore l'innocence de l'animal et de la plante. Ce qu'un homme ne pouvait pas saisir, une succession d'hommes le comprit, et — je n'arrive pas à croire à ces Australiens qui ne savent pas cela, alors qu'ils savent tant de choses... — tout homme d'aujourd'hui, même s'il a échoué à son certificat d'études, connaît quelles peuvent être les conséquences d'un moment de profonde intimité avec une personne du sexe opposé. L'humanité a joué ici contre l'espèce humaine et a donné à ses membres la possibilité de séparer la cause de l'effet et d'obéir ou non à la loi de l'espèce. C'est un don précieux : celui d'une liberté. Mais l'espèce utilise contre ce libre arbitre une arme toute-puissante, qui en général emporte le couple loin de toute conscience et de toute précaution : le plaisir de l'amour.

Chez la femme pâmée — je ne parle pas de la femme frigide qui n'est pas un fruit naturel de la vie, mais un produit de la société contraignante ou de l'homme égoïste ou maladroit — chez la femme pâmée, noyée de joie, répandue, inconsciente, ne surnage qu'un seul réflexe impératif : s'ouvrir, encore, encore, encore plus, et recevoir l'homme à la plus grande profondeur possible d'elle-même. Quant à l'homme, pendant un court instant, il n'est plus qu'une seringue à injection poussée par un bulldozer. Elle et lui, croyant ne penser qu'à eux-mêmes, chacun à son propre plaisir et lui parfois au plaisir d'elle, persuadés d'accomplir l'acte le plus personnel, le plus individuel, le plus égoïste, en réalité s'oublient eux-mêmes, abdiquent leur liberté, et travaillent pour le Tout.

L'homme obéit, comme la souris ou l'éléphant, comme les poissons et les petits oiseaux. Il suffit d'un sein qui pointe, d'un œil au regard las, d'une jambe, d'une chevelure, d'une voix, et qu'il soit savant atomiste ou débardeur, voilà l'homme qui se précipite. Il n'a certes pas conscience de cette passivité, et croit bien au contraire accomplir une série d'actes parfaitement voulus et réfléchis. L'être humain de sexe mâle en qui s'est éveillé le désir d'un être humain du sexe opposé, qui franchit ou détruit tous les obstacles qui l'en séparent, qui fait fondre son indifférence, anéantit ses scrupules, dissipe ses craintes, l'arrache à ses parents ou à son mari pour en faire sa femme ou sa maîtresse et se couche enfin en elle, est bien persuadé à cet instant suprême que cette possession est l'aboutissement de son effort conscient, obstiné, volontaire, le couronnement victorieux de son action individuelle, alors qu'en réalité il a couru derrière son sexe, lequel était orienté comme l'aiguille d'une boussole par le champ magnétique de l'espèce.

Et la femme si maligne, qui se fait choisir par l'homme qu'elle a choisi, qui lui suscite des obstacles afin qu'il puisse les écarter, qui s'éloigne pour qu'il accoure, qui résiste pour que l'effort qui la vaincra soit plus grand, la femme si certaine de mener le jeu est elle-même menée par la naissance mensuelle du minuscule, du mystérieux, de l'impératif ovule qui veut recevoir la cellule complémentaire grâce à laquelle il pourra commencer à se diviser.

Dans la vie des êtres humains, le choix du partenaire est l'acte le plus involontaire de toute l'existence de l'individu, après sa propre naissance. La formation d'un couple est le résultat de la loi de perpétuation de l'espèce jouant sur des affinités héréditaires, dans la multitude des hasards sociaux. Cela s'appelle mariage, passion, jalousie, adultère, aventure, allocations, revolver, prostitution, famille. C'est ce que nous nommons l'amour.

Il y a confusion.

L'amour c'est l'oubli de soi.

Au contraire, ce qui pousse une fille vers un garçon, un garçon vers une fille, c'est le besoin de satisfaire le besoin le plus personnel. Lorsque cet appétit est réciproque, il donne naissance, chez l'un et l'autre partenaire, à un état nerveux particulier qui leur fait éprouver un intense bien-être à se retrouver, à rester ensemble, à se parler, à se regarder, à penser l'un à l'autre, sans même aller jusqu'à l'accomplissement de l'acte sexuel. Ou même après. C'est ce que nous nommons le bonheur. Mais que l'un des deux veuille rompre cette harmonie, s'évader de cette intimité, l'autre alors, défendant son propre bonheur sans aucun souci de celui de son partenaire, devient semblable au lion à qui on voudrait arracher sa part de gazelle. Sa férocité peut aller jusqu'au meurtre. Le ressort d'un tel comportement est un égoïsme sauvage. C'est le contraire même de l'amour.

L'amour est l'oubli de soi.

Il n'a pas besoin d'être partagé, car il ne désire que donner. Mais s'il est réciproque, si chacun des partenaires reçoit autant qu'il donne, alors peut s'établir entre eux une véritable félicité que rien d'intérieur ne menace. L'amour véritable engendre le bonheur vrai. Mais pour que cet amour véritable s'établisse, il faut que les deux êtres qui forment le couple aient des physiologies qui soient en harmonie, des mondes mentaux qui puissent communiquer, des goûts qui s'accordent et se complètent, des désirs synchrones, des éducations semblables ou voisines. Et que chacun d'eux ait suffisamment de qualité d'être pour penser d'abord à l'autre, avant de penser à lui.

Une telle rencontre est rarissime. Elle a, en tout cas, peu de chances de se produire sous l'effet de ce que nous nommons d'habitude l'amour, qui fausse le jugement, rend aveugle à l'évidence et sourd à la vérité, et fait se précipiter l'un vers l'autre les êtres les moins faits pour se donner réciproquement une satisfaction durable.

Il serait préférable de ne pas laisser au hasard le soin de former les couples. Il faudrait pouvoir diriger la puissance fantastique qui jette les uns vers les autres les véhicules à deux pattes porteurs des gamètes de signe opposé. Essayer de faire avancer côte à côte ceux qui ont la même vitesse et la même direction, au lieu de laisser entrer en collision la Rolls et la Dauphine, le camion de cinq tonnes et le vélomoteur. Mais qui, aujourd'hui, serait capable de cet aiguillage ? Quand les parents s'en mêlent, ce sont seulement d'autres formes d'égoïsme et d'aveuglement qui entrent en jeu et perturbent encore davantage les raisons du choix.

Dans certaines sociétés anciennes ou primitives, c'était le chaman, l'astrologue, le sorcier, le prêtre qui avait la charge des unions. Tout ce qui nous reste de cet usage, c'est la cérémonie du mariage religieux et l'intransigeance de l'Église qui considère que tout mariage fait en dehors d'elle ne vaut rien.

C'était sans doute vrai quand c'étaient ses prêtres qui désignaient les conjoints avant de les unir. Quand le prêtre était la voûte et la lumière d'une petite communauté, quand il savait ce qu'est Dieu, ce qu'est l'homme, et comment on peut connaître l'un par le moyen de l'autre.

Aujourd'hui, religieux ou non, un mariage est affaire de chance. Nul ne peut s'en mêler. Pour assembler justement deux êtres humains, il fallait connaître les hommes.

Paroisse signifie « maison à côté ». Une paroisse c'étaient quelques maisons assemblées comme un corps humain, avec chacune sa fonction, son artisan travaillant pour l'ensemble de la communauté et recevant des autres le fruit de leurs travaux. Le prêtre était le cerveau et le cœur. Il mettait en communication le corps de la paroisse avec le reste de l'Univers.

Tout a dégénéré en même temps. Les marchands se sont introduits entre les artisans, la paroisse est devenue un corps obèse, le prêtre a oublié le sens des mots qu'il prononce et des gestes qu'il dessine machinalement au-dessus de l'autel désert. Personne ne connaît plus personne, ni soi-même. La science de l'homme est totalement perdue. L'homme d'aujourd'hui ne sait ni où il est, ni pourquoi il est, ni ce qu'il est. Tandis que l'emportent les forces énormes qui maintiennent la création dans son équilibre tourbillonnant, il n'a d'autres ressources, pour échapper au désespoir, que de se fabriquer des illusions qui le rassurent en ramenant ses horizons aux limites de son égoïsme le plus étroit.

Ainsi chaque couple d'amoureux oublie-t-il le reste du monde et pense-t-il que ce qu'il nomme son « amour » est un sentiment grandiose, unique, dont l'humanité n'a jamais connu l'équivalent.

En réalité, ce qui fait grimper Roméo à l'échelle, c'est l'élan irrésistible des milliards de cellules messagères qu'il a fabriquées sans le savoir et que son corps doit inéluctablement porter vers un autre corps dont le contact les fera jaillir comme des fusées vers l'avenir.

Et ce qui fait que Juliette éblouie confond l'alouette avec le rossignol et refuse de reconnaître l'aurore, c'est que l'ovule, planète du futur, veut assurer la certitude de son devenir en provoquant le jaillissement à l'assaut d'elle-même de quelques nouvelles centaines de millions de fusées, dont une seule est appelée à lui délivrer le message complémentaire. Cette fois-ci ou la fois prochaine. Le plus souvent possible. Encore, encore et encore. Pour qu'enfin inéluctablement ait lieu la rencontre. Ne pars pas, Roméo, non, c'est le rossignol, ce n'est pas l'alouette. Encore toute la nuit devant nous...

Au travail.

Tout le reste, c'est Shakespeare.

Bien sûr, il y a l'émerveillement de la rencontre du partenaire, l'enchantement de sa présence, l'éblouissement de sa possession. Il y a cette respiration plus facile quand on est ensemble, ce cœur qui déborde, cette beauté qui recouvre toute chose, tous ces symptômes qui caractérisent le sommet de la courbe d'un amour.

Ce sont les éléments du piège, sa séduction, son leurre. S'il n'y avait pas cette merveilleuse fièvre des préliminaires, et cette joie incomparable de l'accomplissement, quelle chance resterait-il pour qu'un homme et une femme allassent à la rencontre l'un de l'autre à seule fin d'accomplir un acte qui, si l'on parvient, avec une très grande difficulté, à le considérer objectivement, apparaît, somme toute, saugrenu?

Dans la plupart des cas, dès que l'espèce aura obtenu du couple ce pour quoi il a été assemblé, ou quand la preuve aura été faite qu'elle n'en obtiendra rien, cette féerie va se dissiper.

Plus ou moins lentement vont disparaître cette joie de se retrouver, cette lumière qui s'établissait au moindre contact, ce champ magnétique qui séparait le couple de la réalité et l'enveloppait d'un arc-en-ciel. Chacun va découvrir l'autre, le voir enfin tel qu'il est et non tel qu'il l'imaginait. Il n'aura pas appris pour autant à se connaître lui-même. Au contraire. Chacun va en vouloir à l'autre de sa désillusion, et jugeant son partenaire avec rancune, donc sans justice, va s'estimer supérieur à lui dans tous les domaines et lui attribuer la responsabilité entière de la situation déplaisante dans laquelle ils se trouvent.

Selon que les deux égoïsmes sont plus ou moins féroces, à l'amour éblouissant peut succéder la haine, le dégoût, l'indulgence, la résignation, l'amitié, l'affection, ou même une sorte d'amour bien plus stable que l'attraction primitive, fondé sur une meilleure connaissance réciproque et un minimum d'oubli de soi.

Dans les pires cas, il reste que, malgré l'amertume et les rancunes, les deux partenaires auront vécu l'un par l'autre ce qui semble, dans l'état actuel de l'homme, l'assortiment des plus grandes joies auxquelles il puisse accéder. Joies naïves de l'amour qui naît et s'épanouit, joies profondes, bouleversantes, vraies, même si l'amour est illusoire. Joie unique, incroyable joie dispensée par l'espèce au sublime moment où les deux sexes se rejoignent dans son piège. Rien ne l'égale, rien ne lui ressemble. Joie de se planter dans l'intime profondeur du tiède tendre corps et d'y remuer l'univers, joie de recevoir dans son doux ventre ouvert la bielle d'huile et de bronze et de soie, joie de mourir ensemble dans un fleuve d'or. Un couple accordé, à ce moment est une goutte de Dieu.

Trahison! C'est seulement une graine qu'il faut semer.

Mais si c'est Dieu qui l'a voulu?

Dieu?

Il faut se méfier des noms et des mots.

Dieu. L'espèce. Les ordres. L'univers. Dieu?

Quelqu'un, quelque chose semble avoir organisé la vie.

Il est bien difficile de croire que tant de merveilles, tant d'astuces miraculeuses, tant d'ingéniosité efficace soient l'effet du hasard et de la chimie.

Dieu?

Le nom de Dieu a trop servi.

On s'en est trop servi.

Quand on le prononce ou l'écrit aujourd'hui, une foule d'images se lèvent et occupent tout l'esprit. A sa place. Il est très difficile de penser Dieu sans évoquer une Église. Alors Dieu devient, dans l'esprit qui le pense, tel que l'Église le propose, c'est-à-dire impossible. Les Églises sont devenues des barrières entre l'homme et le divin.

Le Dieu dont nous avons besoin pour comprendre les mystères qui nous angoissent ne peut rien avoir de commun avec cette imagerie pour enfants que des religions déshabitées proposent à des fidèles indifférents. Dieu, le Créateur, Notre-Seigneur, tout cela fait grand prêtre de Babylone dans un spectacle du Châtelet. Un barbu en technicolor sur grand écran. C'est à pleurer de tristesse et de fureur. Dieu. Ce nom qu'on nous tend n'a plus de sens. Son vrai nom, celui qui expliquait tout, a été caché si longtemps et si obstinément que ceux-là mêmes qui le cachaient l'ont oublié.

Dieu.

Il n'y a pas d'autre nom.

Et il ne désigne plus rien.

Un jour, il y a un milliard d'années, ou plus, ou moins, peu importe, sur la face stérile de la Terre, un grain de matière inerte se mit à vivre. Ce n'était rien, ça n'avait pas de forme, ça ne sentait pas, ça ne pensait pas, ça ne voulait rien, c'était invisible, c'était infiniment, ridiculement rien du tout. Simplement, sur la Terre encore morte, ce grain de poussière vivait. Il lui fallut peut-être des milliards d'années pour s'organiser et devenir cellule. Car une cellule, un être unicellulaire indépendant, c'est un organisme très astucieux et très compliqué. Il n'a pas de pieds : il s'en fait pousser quand il en a besoin, les utilise pour se déplacer, puis les résorbe. Il n'a pas de membres préhensiles : il s'en fait pousser pour saisir la proie qui s'approche. Il n'a pas de bouche pour absorber sa nourriture : il s'en ouvre une au contact de ce qu'il a saisi, avale, et se referme. Parfois, il arrive que la proie soit trop grosse et le fasse éclater. Ses morceaux se rapprochent l'un de l'autre, reprennent contact, se ressoudent et le reconstituent. Il n'a pas de tube digestif : son être tout entier digère le bol alimentaire, et comme il n'a pas d'anus, il s'ouvre pour expulser les déchets, et se rebouche...

Il n'a aucun organe : il est chaque organe au fur et à mesure des nécessités.

Cet être si bien organisé est de plus immortel. Pour se reproduire, il se coupe en deux, et chacune de ses moitiés devient un individu qui à son tour, le moment venu, se sépare de lui-même, et ainsi de suite pour toutes les moitiés devenues entiers dont l'existence n'est pas brutalement interrompue par des causes extérieures.

Ainsi toutes les amibes qui existent aujourd'hui sont-elles la même amibe, la primitive amibe qui s'est organisée à l'aube de la vie. La première amibe qui vivait, il y a trois milliards d'années, vit encore aujourd'hui, et plus elle vieillit en se séparant c'est-à-dire en se multipliant, moins elle a de chances de mourir.

L'esprit humain, ou du moins l'esprit occidental logique, a tendance à aller du simple au moins simple, et du moins simple au compliqué, en suivant la complication à la trace, sans jamais perdre le fil, sans cesser de saisir les enchaînements. C'est pourquoi il s'est plu à penser que la vie avait fait comme lui, était allée de la première cellule aux multitudes d'êtres unicellulaires, puis aux organismes pluricellulaires, puis aux organisations de cellules différenciées, et de là à tout ce qui est aujourd'hui vivant sur la Terre.

Les plus logiques parmi nos esprits logiques affirment que cela s'est passé ainsi. Et notre logique a tendance à les croire. Il nous semble bien qu'ils aient raison. Où notre logique ne les suit plus, c'est lorsqu'ils deviennent, sans s'en rendre compte, illogiques. Lorsqu'ils essaient d'expliquer le passage du simple au compliqué par la nécessité, pour la matière vivante, de s'organiser de mieux en mieux afin de survivre.

Il y a, à la base de cette hypothèse, une grave confusion entre les sociétés de cellules et les sociétés humaines. Il est certain que les hommes ont éprouvé le besoin de se grouper pour se défendre. Il est certain qu'un groupe d'hommes est moins vulnérable qu'un homme seul, et chaque homme d'un groupe plus protégé qu'un homme isolé. Ce n'est pas vrai en ce qui concerne les cellules. Plus un organisme se perfectionne, plus il devient vulnérable. Plus la matière vivante se complique, plus elle devient mortelle. Le plus perfectionné n'a pas survécu *parce qu'il était* perfectionné, mais *bien qu'il fût* perfectionné.

L'éléphant est plus facile à tuer qu'une amibe : une balle dans la cervelle suffit. Une balle à l'échelle d'une amibe, quel que soit l'endroit de son individu où elle la reçoive, ne mettra aucunement sa vie en danger.

Coupez en deux un petit ver flamaire, sa tête va reconstituer une queue, et sa queue une tête, et vous aurez deux vers. Essayez d'en faire autant avec un caniche...

Il suffit qu'une seule catégorie de cellules d'un être humain se mette à dégénérer, par exemple les globules blancs du sang (leucémie), pour que l'être entier périsse, et que toutes ses cellules, de toutes catégories, cessent d'être de la matière vivante. L'organisation du vivant ne s'est donc pas faite par nécessité, pour défendre, ou en défendant la vie. Pour défendre et perpétuer la vie, le vivant, dès son apparition, avait adopté la solution la meilleure. Pour la survie, l'amibe unicellulaire, c'est la perfection. Si bien que ce système parfait est resté la base de toutes les modifications, et que c'est avec la cellule pour matériau que se sont construites ou ont été construites toutes les espèces vivantes, végétales et animales. Alors pourquoi ce passage de l'amibe au ver, au poisson, à l'oiseau, à l'homme?

Mais y a-t-il eu passage?

Il existe effectivement des degrés de complexité entre les êtres vivants, et il n'est pas impossible de saisir, ou d'imaginer un fil conducteur allant du plus simple au plus compliqué, et de les classer en une sorte d'échelle de complications que nous nommons volontiers hiérarchie, afin de pouvoir nous placer au sommet. Mais rien ne prouve qu'à cette échelle de complexité corresponde une échelle chronologique, et que le plus compliqué soit effectivement apparu sur la Terre *après* le plus simple, chaque espèce utilisant une espèce précédente comme matériau de sa nouvelle construction.

Que les espèces soient issues les unes des autres par filiation ou qu'elles soient nées de manière indépendante, on ne peut cependant pas nier, quand on les considère dans leur ensemble, qu'elles aillent effectivement du plus simple au plus complexe. Qu'il y ait eu ou non évolution, il y a gradation, il y a progression de l'amibe à l'homme. C'est un fait.

Cette progression ne peut pas être le fait du hasard, car hasard et progrès ne sont pas compatibles. Elle n'est pas non plus le résultat de la lutte pour la vie, ni de la sélection des mutations, puisqu'elle va à l'encontre de la sécurité. Et nous sommes amenés à cette conclusion effarante : si cette progression s'est faite dans le temps, s'il y a eu, comme tout semble le prouver, d'abord des organismes vivants très simples, puis des êtres de plus en plus compliqués, nageants, volants, fabriquants, si cela a effectivement commencé à la cellule pour arriver aujourd'hui au polytechnicien et aller demain jusqu'où, cela ressemble extraordinairement à l'œuvre peu à peu pensée, perfectionnée touche à touche, rectifiée, effacée, recommencée de mieux en mieux, *d'un apprenti qui s'est fait la main!*

Qui est l'apprenti des monstres du secondaire devenu le génial ouvrier de l'oiseau?

La Nature?

Mais qu'est-ce que c'est, la Nature?

Cette entité, à laquelle se réfèrent les esprits rationalistes pour expliquer l'inexplicable, ressemble beaucoup à un dieu auquel on n'ose pas dire son nom, et qu'on a amputé de toute volonté et de tout esprit d'initiative. Une déesse mère passive qui accouche sans savoir qui l'a engrossée. Cette Nature-là n'est pas perfectible. Elle ne peut pas être notre apprenti, car elle ne sait pas apprendre.

Alors... Dieu?

Mais Dieu non plus ne peut pas être apprenti. Il n'est pas perfectible. Il est parfait.

Si c'est Lui l'ouvrier, nous pouvons en conclure

que l'évolution était déjà tout entière contenue dans la première cellule. Tous les ordres y étaient inscrits. Ceux de la cellule, ceux de l'espèce, ceux de toutes les espèces. Le premier grain de vie qui s'émut, il y a un milliard d'années, était la graine de tout l'arbre vivant qui couvre aujourd'hui la Terre. Il contenait déjà tout : les forêts, les troupeaux, les moissons et les peuples, les océans pétris de planctons et de baleines, trois milliards d'hommes et le cerveau d'Einstein.

Et peut-être plus. Car la Terre à son tour est en train de germer. La vie terrestre va bientôt pousser sa tige hors de son humus natal, aller fleurir dans les étoiles et y jeter ses graines. La vie terrestre, née d'une molécule infinitésimale, est peut-être destinée à conquérir l'infini de l'espace, dans l'infini du temps. Reste à savoir si cette expansion de la vie telle que nous la vivons et voyons autour de nous sur ce grain de poussière, si cette invasion des planètes, qui va commencer demain, puis celle de l'Univers qui suivra peu après, si cette diffusion, cette propagation universelle d'un phénomène jusqu'alors peut-être unique et localisé, qui a pour effet de transformer la matière inerte en matière sensible, est de nature à nous emplir d'enthousiasme ou d'horreur.

Car la vie telle que nous la vivons, telle que nous la connaissons, c'est d'abord la souffrance et le meurtre.

L'homme n'est pas le seul à aimer le caviar. Lorsqu'une femelle de poisson saisie par le printemps pond les millions d'œufs qui lui gonflent le ventre, elle traîne souvent derrière elle un groupe d'amateurs qui les avalent à mesure de leur sortie. Nous en faisons bien autant avec la poule. Cela nous paraît dans l'ordre, et pas le moins du monde inquiétant, car nous ne sommes ni poisson ni poule, et ne pondons pas nos œufs.

Mais si quelqu'un s'avisait de manger nos enfants?...

Manger les enfants d'autrui, et les parents avec, c'est la règle générale, la condition de base de la conservation de la vie. Tant de miraculeuses inventions mises au service des êtres vivants, tant de génie dépensé dans leur édification, tant de formidables précautions prises pour qu'ils se perpétuent et se multiplient, tout cela serait totalement inefficace, sans l'assassinat.

Nul être vivant ne peut continuer à vivre s'il ne tue. Le plus tendre des hommes est par procuration un égorgeur d'agneaux, le rossignol est gavé de cadavres d'insectes, la charmante otarie est un gouffre à harengs et le hareng lui-même...

Et la gazelle n'est pas innocente. L'herbe qu'elle broute, le bourgeon qu'elle cueille sont *vivants*. L'assassinat est la nécessité première de la vie. Frénétiquement, la vie se reproduit et détruit la vie. Tout dévore et s'accouple pour fabriquer de nouvelles proies dévorables. La vache exploitée, traite, et qui finira sous le couteau, tend sa vulve au taureau parce qu'elle doit faire des enfants destinés à être à leur tour égorgés. Les poules sans sommeil, sans mouvement dans les cages étroites, sous la lumière électrique ininterrompue, pondent deux œufs par jour. C'est la règle. Plus les conditions sont effroyables pour l'espèce, plus elle est prolifique. Car il ne faut pas que cette branche de vie disparaisse. Il faut que tous les vivants, à tout instant, fabriquent des vivants pour que d'autres vivants puissent les dévorer.

Cela vous fait sourire. Vous pensez que l'homme, lui, au moins, est hors du coup, qu'il a le droit de tout bouffer mais que rien ne le mange? Vous n'avez donc jamais eu un des vôtres en péril? Votre femme, votre mère, votre enfant, terrassé par une maladie contre laquelle vous vous demandez si la médecine sera efficace, et qui lui met déjà la mort au fond des yeux? Cette maladie c'est une autre forme de vie qui est en train de le dévorer.

Chaque jour, des millions d'êtres vivants minuscules partent à l'assaut de votre organisme. Vous vous défendez avec les liquides de vos muqueuses qui les dissolvent, vos anticorps qui les empoisonnent, vos globules blancs qui les mangent, le cas échéant avec les antibiotiques, les antiseptiques, mille sortes d'armes chimiques et même le couteau. Mais vous savez bien qu'un jour ils auront le dernier mot et à leur tour vous mangeront, pourri.

Pourquoi, pourquoi cette atroce bataille, sans répit, du vivant contre le vivant? Ce qui se passe dans le silence des océans est d'une telle atrocité que nous nous défendons d'en prendre conscience. Chaque poisson semble avoir été doué sans raison d'un appétit insatiable et qu'il passe sa vie à essayer de calmer en avalant des poissons plus petits, jusqu'au moment où il est avalé par un poisson plus gros. Certains voraces peuvent avaler en quelques heures leur propre poids de chair vivante. Pensez un peu au sort du poisson avalé! Faites un effort d'imagination. Essayer de *sentir* que vous êtes à sa place... Vous voilà coincé *vivant* dans une tripe froide d'où suintent des acides. Leur atroce brûlure vous mord d'abord les muqueuses : les yeux, la bouche, l'anus, le sexe, le système respiratoire. Non, vous ne mourrez pas si vite, ce serait trop doux, vous serez *digéré vivant* par toute la surface de votre peau. Vous ne pouvez pas crier, vous êtes muet, vous n'avez rien à dire...

Si tout à coup la surface bleue des eaux au bord desquelles nous vautrons notre indifférence était percée d'un cri à la mesure de la somme de souffrance qu'elle dissimule, l'intensité de cette plainte, la violence de ce reproche seraient telles que toute l'eau des océans suivrait, volatilisée à la face de l'Organisateur.

Vous avez mangé à midi une merveilleuse côtelette, bien grillée, qui avait le goût de noisette. Vous n'avez pas pensé, bien sûr, à la brebis dans laquelle on l'a découpée, après lui avoir planté un couteau dans la gorge et lui avoir soufflé au derrière pour lui décoller la peau de la chair. Vous n'avez pas pensé à l'agneau. *On ne pense jamais à l'agneau qu'on mange.* Moi aussi, j'adore les côtelettes, et j'en mangerai encore plus d'une...

Mais imaginez que des êtres venus du fond des Mondes débarquent un jour chez nous, un jour prochain... On sait aujourd'hui que c'est chose possible. La vie est peut-être un phénomène purement terrestre, mais c'est peut-être un phénomène universel. Dans ce dernier cas, il doit bien exister quelque part des êtres qui sont aussi supérieurs à l'homme que l'homme au mouton à côtelettes.

Imaginez qu'ils arrivent, qu'ils nous conquièrent, *qu'ils nous goûtent* et qu'ils nous trouvent *bons!*

Il est de règle de penser, chez les hommes qui s'occupent des problèmes de l'espace, que si des êtres d'une intelligence supérieure débarquaient sur la Terre, ils ne seraient animés que de bonnes intentions. C'est une hypothèse bien aventurée.

Le mouton est plus intelligent que l'herbe, et l'homme que le mouton. Résultat? Une grande supériorité d'intelligence ne peut au contraire que rendre impossible toute émotion de la part du supérieur devant le sort de l'inférieur. La sensibilité féminine s'émeut facilement à l'image de l'agneau égorgé — ce qui n'empêche pas d'ailleurs le gigot — mais la plus tendre ingénue restera indifférente devant l'œuf qu'on casse pour le jeter dans l'huile bouillante, ou le grain de blé que la meule broie. Ce sont des formes de vie trop inférieures pour qu'elle puisse s'émouvoir de leur destruction.

Il se peut qu'il y ait autant de différence entre eux et nous qu'entre nous et le blé, ou seulement entre nous et la vache. Dans ce cas, et si notre absorption est favorable à leur métabolisme, rien ne les empêchera de nous déguster. Nous aurons beau crier, gesticuler, nous plaindre, nous expliquer, ils ne nous comprendront pas mieux que nous ne comprenons les fourmis...

Malgré notre « grande intelligence », qu'est-ce que nous comprenons au chant du rossignol? Et est-ce que notre intelligence empêche l'ouverture de la chasse?

Imaginez donc qu'Ils arrivent, qu'Ils s'installent, qu'Ils nous « élèvent » comme on dit, nous engraissent et nous dégustent. Qu'en pensez-vous de la côtelette de banlieusard? Votre fils — ou vous-même : ça peut être pour demain — moitié pendu par le tendon de la cheville à l'étal du boucher, l'autre moitié dans le frigo...

Ce n'est pas plus horrible, pas plus anormal, pas plus injuste que de manger du chateaubriand ou du pied de veau.

Mais pourquoi mangeons-nous du pied de veau? Pourquoi la plante mange-t-elle l'air et la terre, l'herbivore la plante, le carnassier l'herbivore et l'homme le tout, plus lui-même?

Pourquoi tuer?

Pour survivre.

Et pourquoi survivre? Pour tuer?

S'il n'y a pas d'autre explication, s'il n'y a pas de clé pour ouvrir ce cercle d'absurdités, s'il n'y a aucune raison à cette prodigieuse, inimaginable pyramide d'horreur au sommet de laquelle l'homme est empalé, alors nous n'avons plus à nous étonner des produits suprêmes de l'activité humaine : la bombe H, les gaz foudroyants, les toxiques universels, les rayons de la mort, toutes les armes superbes dont les états-majors pleins d'orgueil font étalage ou mystère.

L'avènement des armes totales est logique. Elles arrivent à la pointe de l'intelligence de l'homme qui est la pointe de la vie terrestre. Elles sont les fruits convenables de cet arbre miraculeux et absurde dont la sève est le sang répandu.

Cela commence à la graine. Dès que le hasard ou le semoir l'ont enfoncée dans la terre humide, les ordres inscrits en elle déclenchent son offensive. Elle s'ouvre, éclate, pousse dans l'humus ses tentacules et commence à le dévorer. Elle lance vers le haut sa tigelle, émerge, déploie ses feuilles qui vont avaler l'air et la lumière. C'est ainsi que cela commence. Une graine grosse comme la phalangette d'un petit doigt avale de la terre et de l'eau, puis de l'air et de la lumière, et fabrique avec cela un chêne *vivant* de trente mètres de haut. Quelques graines ont fabriqué avec de la terre et de l'eau, avec de l'air et de la lumière, ce pain que vous mangez. Et ce pain devient vous vivant. Sous un tapis d'herbe fraîche, un réseau d'innombrables racines emmêlées a pompé, sucé la substance de la terre. Et la vache et le mouton ont tondu le tapis d'herbe fraîche, et vous mangez leur côtelette et leur faux-filet.

Et la côtelette et le pain deviennent *vous vivant*. La terre, l'eau, les sels minéraux, l'azote, le carbone, la matière inerte et inorganisée, devenue pain, devenue herbe puis bifteck, *deviennent vous et vivent.*

La terre éventrée par la charrue ne sentait rien. Tout à l'heure, si vous roulez sous une auto, la terre par votre bouche va hurler... Le carbone, l'oxygène et l'azote vont souffrir de vos rages de dents et de vos deuils, jouir de votre femme, aller au cinéma. La tranche de mouton assassiné et dépecé, devenue *vous,* va déguster du mouton. L'humus sucé par les radicelles est en train de lire ce livre et de se faire une opinion. La terre devenue vous, vivante, réfléchit, pense, se demande pourquoi on l'a fait vivre. Si vivre c'est seulement jouir et souffrir, faire souffrir et tuer et mourir, elle regrette de n'être pas restée caillou.

Il n'y a que cette différence entre le caillou et l'homme, entre l'insensible et le souffrant, entre ce qui ne pense rien et ce qui est anxieux de *tout* savoir, entre ce qui nourrit la rose et ce qui la respire, cette seule différence : la vie.

La matière de l'homme sans la vie, et la matière du caillou sont de semblables agglomérats de molécules et d'atomes vagabondant au hasard des chemins creux, de l'appétit des bactéries et des larves, et des affinités chimiques.

La matière vivante a commencé sur la Terre, semble-t-il, par une molécule. Nos chimistes connaissent son poids, sa formule, et lui ont donné un nom. Ce qui permet à certains de déclarer qu'ils espèrent bientôt surprendre les « secrets » de la vie. Ce sont des esprits vifs, qui sautent aux conclusions comme des puces au nez d'un chien maigre. Il n'est pas impossible qu'un jour prochain un biologiste annonce triomphant qu'il a fabriqué du vivant, du vrai vivant dans une éprouvette, capable de s'organiser, de se développer, et peut-être de se reproduire. Pourra-t-il prétendre, pour autant, qu'il *connaît la vie?* Parce qu'il aura réuni les conditions dans lesquelles elle se manifeste, et l'aura vue tout à coup animer sa préparation savante, saura-t-il, si peu que ce soit, ce qu'elle est?

Nous sommes devenus de fameux électriciens depuis le paratonnerre de Franklin et la lampe à fila-ment-de-charbon-de-bambou de M. Edison. Nous illuminons des continents, nous envoyons un rayon rouge éclairer un trou de la Lune, nous fabriquons, transportons, utilisons sous mille formes des quantités considérables de courant électrique, mais qui oserait prétendre qu'il connaît l'électricité? Nous la capturons sans la voir, la maîtrisons sans la saisir, la transportons le long de millions de kilomètres de fils sans être seulement certains qu'elle s'y déplace, bénéficions de ses effets sans savoir ce que nous mettons en cause. Elle peut produire des quantités fabuleuses d'énergie, mais elle n'est pas énergie. Elle est peut-être à la base de la cohésion de toute la matière, mais elle n'est pas la matière. Nous ne savons absolument rien de sa nature. Nous l'avons habillée d'une carapace de lois et de contraintes, mais à l'intérieur de ce vêtement de prisonnier il n'y a rien que nous puissions appréhender, ni avec nos sens ni avec notre esprit. Elle échappe totalement à l'entendement humain. Elle est hors limites.

La vie est un phénomène encore plus subtil. La vie non point passive comme le fluide électrique, mais volontaire, organisatrice, lançant de la cellule à l'es-pèce des ordres que nul ne peut enfreindre, déve-loppant, hissant vers une conscience de plus en plus

grande la boue qu'elle ramasse pour en faire des prix
Nobel. La vie qui nous a été transmise, que nous
avons transmise et qui nous laissera mourir, qui dure,
immortelle, depuis les commencements de la Terre,
et qui organise le meurtre de tous les vivants, la vie
merveilleuse, atroce, insaisissable, indicible, inconcevable...

Nous ne pouvons pas plus savoir ce qu'elle est,
que la bouteille ne sait ce qu'est le vin qu'on a
enfermé en elle et qui la quittera. Mais la bouteille,
au moins... Voilà enfin quelque chose à empoigner!
La bonne, solide, lourde, visible bouteille dans notre
main d'homme! Voilà enfin du tangible!

Voire...

La bonne matière, la matière matérielle, familière,
dont nous sommes faits, nous et le monde, vous et
votre assiette à soupe, et la soupe et le fromage, et
votre femme, et votre enfant chéri, et vous-même, le
bois de mon bureau, mon stylo, ma main, ma chemise,
mon cœur, tout cela et tout le reste, est en train de
nous glisser entre les doigts, de s'évanouir, fumée,
même pas fumée, rien...

Un corps vivant ou un corps inerte, un caillou,
un clou ou un genou, un pou, sont pareillement cons-
titués de molécules, les molécules sont constituées
d'atomes, et les atomes de particules dont certaines
assemblées forment le noyau, les autres tourbillonnant
autour.

Mais ce noyau est si petit, et les particules qui
vibrionnent à ses alentours encore tellement plus
infimes, qu'on peut considérer qu'un atome est presque

entièrement constitué de vide. De *vide.* Non pas d'espace empli par un fluide transparent, léger insaisissable. De *vide.* De néant. Zéro absolu. Rien.

On a calculé que si on réunissait tous les êtres humains vivant sur la Terre, et si on parvenait à supprimer le vide de leurs atomes, toutes les particules qui composent l'espèce humaine tiendraient dans un dé à coudre.

Un dé à coudre de particules, et du néant, pour construire trois milliards d'hommes, quel que soit le maçon, il sait tirer parti des briques!

Mais ces briques elles-mêmes, ces particules, ce matériau de base de la matière, sont-elles vraiment bien solides? Sont-elles enfin *quelque chose?* Ma main, mon cœur, le bois de mon bureau, l'épaule de mon fils, peut-on s'appuyer?

Prudence. Ces particules, ceux qui les connaissent le mieux en sont à se demander si elles ne sont pas seulement des parcelles d'énergie en mouvement. Et si elles ne se divisent pas à leur tour, en particules infiniment plus petites, séparées par du vide, lesquelles particules infiniment plus petites n'ont pas de raison de ne pas être à leur tour composées d'énormément de vide, et de particules qui, si petites soient-elles, peuvent à leur tour ne contenir à peu près que du vide et d'autres particules encore plus petites, plus petites, petites, petites...

Tout cela serait déjà assez effrayant, assez merveilleux, mais il faut ajouter que ces particules sont animées de mouvements si rapides et d'un caractère si particulier que leur position est toujours seulement probable. C'est-à-dire qu'elles ne sont, à aucun instant, ni là ni ailleurs, mais seulement quelque part...

Ta femme, ton cœur, ma soupe, ma main, toi-même... composés de tourbillons de rien qui ne sont jamais là? Vanité des vanités, dit l'inconnu de *l'Ecclésiaste,* tout n'est que vanité. Il a peut-être commencé à le dire en sumérien. Peut-être bien avant Babel le disait-il déjà. Puis en araméen, en hébreu, en grec et en latin :

Vanitas...

Dérivé de *vanus,* qui signifie : VIDE.

La science à son tour vient de le découvrir.

Un dé à coudre empli de tourbillons de rien : c'est l'humanité.

Découpez, en trois milliards. Prenez votre part. Voilà le baigneur! c'est l'homme. Je.

Moi qui écris ce livre...

Moi qui le lis...

Je suis un trois-milliardième de dé à coudre.

Cet acier dur, c'est du vide, tourbillons, néant. C'est un couteau zéro. Ma main pareil. Mon cœur non plus... Pourtant, si cette main zéro prend ce couteau de vide et le plante dans ce cœur de rien...

Aïe!...

La vie, la mort, la souffrance ne tiennent pas dans le dé à coudre.

Mon cœur, le couteau existent. Mon cœur parce qu'il saigne, le couteau parce qu'il taille ma chair. Le monde est ce qu'il est, architecture tourbillonnante de forces dans l'immensité du vide, mais il est aussi tel qu'il m'apparaît, il est ce que je sens, je vois, je touche, ce que je prends de lui, ce qui de lui me heurte. Il est tel que mes sens le saisissent et me le donnent. Mes sens... Si peu. Cinq sens. Un-deux-trois-quatre-cinq, c'est tout.

Six-sept-huit-neuf-dix ne sont pas pour nous. Et nous ne pouvons absolument pas nous faire une idée de ce qu'est le monde pour des intelligences qui le perçoivent à travers des sens totalement différents des nôtres. L'imagination n'est qu'un jeu de la mémoire qui construit ce qu'elle connaît. Elle ne peut pas construire de l'invisible, de l'intouchable. Ce qui n'est pas connu de l'homme, il ne peut pas l'inventer. Il est enfermé dans des frontières dressées aux limites des possibilités de ses sens. Au-delà, tout lui est inconnaissable. En deçà, ses sens, et sa raison qui travaille sur ce qu'ils lui fournissent, lui fabriquent une apparence du monde qui n'est pas la vérité, mais une réalité.

Je sais que le monde est un vide parcouru par un réseau de puissances en mouvement, que la matière inerte grouille et qu'il n'y a aucune différence essentielle entre une poignée de terre et la joue d'un enfant. Mais ce monde-là, je ne peux pas le connaître dans sa vérité, car cette vérité ne tombe pas sous mes sens, et ma raison, qui ne peut qu'en constater l'existence, est impuissante à se la représenter. Je connais seulement de cette vérité une de ses apparences, celle que me transmettent mes sens un-deux-trois-quatre-cinq. Cette apparence n'est pas la vérité, mais elle est vraie. Elle est incomplète, inexacte, mais vraie. Vraie pour moi, déjà différente pour vous, fausse et inconcevable pour un être six-sept-huit-neuf-dix.

Ou pour les êtres moins-un.

Ces êtres-là existent. Il n'est pas nécessaire, pour les trouver, de nous envoler jusqu'à Sirius, pas même jusqu'à la Lune. Il nous suffit de faire trois pas dans notre jardin...

C'est la fin de la journée. Une fraîcheur agréable tombe des feuillages : méfiez-vous de ces fraîcheurs du soir, posez sur vos épaules une laine légère. Venez. Le dernier rayon du soleil, c'est un petit nuage qui le reçoit là-haut, tout rose déjà mauve. Une tache blanche dans l'ombre presque noire derrière le groseillier : c'est le chat qui se met à l'affût pour la nuit près du trou du mulot. Arrêtons-nous, voici le carré de salades romaines. Leur odeur, à peine perceptible, un peu amère, monte jusqu'à vous. Elle vous donne faim et soif, car elle évoque la feuille craquante, translucide, fraîche comme une source, que vous aimez saisir avec les doigts dans le saladier avant même de vous asseoir à table, pour nettoyer votre langue et vos dents de l'odeur du tabac et des mots, rendre votre bouche propre, neuve comme votre appétit. Innocente.

Vous ne vous êtes jamais demandé ce que pouvait éprouver la feuille de salade tranchée à vif, arrosée de sel et de vinaigre, broyée par vos dents solides... Écoutez-les vivre. Retenez votre respiration. Les feuilles s'étirent, se défroissent dans la fraîcheur qui s'accentue. Oui, vous les entendez vivre, vous sentez leur odeur vivante. Ce sont des êtres vivants... Asseyez-vous au milieu d'elles, à même la terre, qui sous vos paumes est curieusement tiède alors que l'air qui coule du cerisier sur vos épaules est de plus en plus frais. Ne bougez plus, respirez moins. Lentement, encore plus lentement. Paisible. Passif. Essayez de vous sentir salade...

Impossible, bien sûr. Ne fût-ce qu'à cause de l'escadrille de moustiques qui vous attaque, alors qu'un escargot entame la romaine. Vous n'avez pas les mêmes ennemis. Ce ne sont pas les mêmes qui vous mangent. Vous vous levez, vous secouez les fantômes du soir, vous allumez une cigarette et marchez lentement vers la porte éclairée. Vous reprenez votre place dans l'univers des hommes. Mais vous n'êtes plus aussi entier, aussi tranquille, aussi bien enfermé dans la sécurité de votre égoïsme. Que vous le vouliez ou non, vous avez senti les liens qui unissent toute la matière vivante, vous-même et la salade et le moustique et l'escargot et la feuille de cerisier. Tous les vivants issus de la terre tiède sous vos mains. Vous savez maintenant que la romaine, le groseillier et le plant de tomates sont des vivants, comme vous. Comme vous ils sont en contact avec le monde extérieur, comme vous plongés dans un milieu avec lequel ils ont des rapports constants.

Ils ont de toute évidence des moyens de connaître ce milieu, sans quoi la tige de la graine germée ne se dirigerait pas fatalement vers le haut, sans quoi les feuilles de l'eucalyptus ne se présenteraient pas constamment de profil au soleil, et la fleur de tournesol toujours de face. Ce choix d'une direction ou d'une position, les savants qui ont étudié la vie végétale l'ont baptisé géotropisme ou phototropisme, positif ou négatif. Ils ont en partie élucidé les mécanismes physico-chimiques qui permettent à la plante de mettre son choix en action, et ont déclaré que c'était là un automatisme qui ne posait aucun problème...

Nous savons aussi à peu près aujourd'hui quelle suite de phénomènes font lever votre bras quand vous le désirez : micro-courant parti du cerveau et arrivant aux muscles, modification chimique des fibres musculaires provoquant leur contraction, etc.

Il n'empêche que vous avez voulu lever le bras.

Impuissants à analyser par l'éprouvette, à expliquer par l'examen des encéphalogrammes la naissance, l'affirmation et l'injonction de la volonté, les spécialistes ont donné à ce phénomène insaisissable le nom de *volition,* et se sont trouvés bien soulagés. Certains ont même estimé qu'il n'y avait plus rien à expliquer. Cette catégorie de savants, d'ailleurs en voie d'extinction, que je nommerai les bien-savants par analogie avec bien-pensants, estime qu'un mystère baptisé est un mystère résolu. Demandez à un botaniste de cette espèce pourquoi les pâquerettes suivent le soleil dans sa course et se ferment toutes au même moment avant son coucher, avec un tel ensemble qu'un pré printanier tout blanc devient vert en quelques minutes vers les cinq heures du soir...

Il vous répondra avec une merveilleuse assurance : c'est du phototropisme! Et, sincèrement, il croira vous avoir tout expliqué.

Le tournesol, la pâquerette « sentent » le soleil. Voilà un verbe qui a assez de significations différentes pour ne plus vouloir rien dire. C'est pourquoi je peux l'employer ici. Car je ne sais pas, car *nous ne pouvons absolument pas savoir* quelle est la sensation que le rayon de soleil fait éprouver à la pâquerette. La pâquerette n'a ni œil, ni nez, ni oreille, ni langue, ni doigt, ni peau innervée. Elle a pourtant au moins un sens qui lui fait connaître le soleil. Mais sous quelle forme? Ce qui est pour notre peau chaleur, pour notre œil lumière, c'est pour elle quoi? Même si la pâquerette et nous avions un langage commun, elle ne pourrait pas nous faire comprendre ce qu'est son soleil. Essayez d'expliquer à un aveugle de naissance ce que sont la lumière, les couleurs, l'horizon...

Pourtant, il entend votre langage. Il croit même avoir une idée de ce que vous voulez dire quand vous prononcez « rouge », « nuage », « loin »...

Et pourtant...

Un aveugle-né récemment opéré recouvra la vue. Et il s'aperçut, et on s'aperçut avec stupeur, qu'il ignorait la ligne droite! Quand on lui disait « droit », il pensait le mot « droit » mais il imaginait une ligne courbe. Quand il suivait avec la main l'arête rectiligne d'un meuble, le plan d'un mur, il sentait une ligne ou une surface courbe. Et, au début, les distances l'épouvantèrent. Dans son univers d'aveugle, avec lequel il ne pouvait qu'*entrer en contact,* il n'y avait que des proximités. Quand il se déplaçait, il allait *d'une proximité à une autre.*

L'espace n'était pour lui qu'une abstraction. Il connaissait son existence, il y vivait et s'y déplaçait, mais il ne pouvait pas plus s'en faire une image que nous ne pouvons nous en faire une du temps. Nous passons d'un instant à l'autre sans voir le temps, comme lui passait d'un lieu à un autre sans voir l'espace.

Peut-être existe-t-il des êtres qui sont capables de voir le temps... J'écris « voir » parce que j'ignore le verbe supérieur qui désignerait cette perception du temps, et dont il me serait d'ailleurs aussi impossible de comprendre le sens qu'il est impossible à l'aveugle de comprendre ce que signifie « voir ».

Peut-être la pâquerette a-t-elle d'autres sens que celui qui lui permet de connaître le soleil. Peut-être le chêne immobile pendant des siècles est-il au centre d'un univers insoupçonnable à l'esprit de l'homme mobile et bref. La journée est pour lui comme une inspiration, la nuit une expiration, le printemps et l'été sa journée, l'automne sa fatigue et l'hiver son repos nocturne. Il vit à une autre échelle du temps, de l'espace où il est figé, de la conscience, et de la connaissance.

Quel que soit son univers, il est vrai, et l'univers courbe et sans distance de l'aveugle est vrai, et vrai l'univers où l'on peut « voir » le temps.

Le monde est infini non seulement dans toutes les directions de l'espace, mais aussi dans ses vérités.

Si la vie existe en dehors de la planète Terre, s'il existe quelque part ailleurs des êtres vivants, ce serait un bien grand hasard, une bien étrange coïncidence, qu'ils soient dotés des mêmes sens que nous.

Il est peu probable que parmi les infinités de possibilités de compréhension des apparences ils disposent exactement des mêmes que les nôtres.

Leurs sens étant différents, leur monde n'est pas le nôtre. Si un jour nous les rencontrons, nous ne pourrons pas les connaître. Les signes de leur intelligence nous passeront inaperçus, et il nous sera impossible de leur faire soupçonner notre raison. Les savants de Cap Kennedy ont cherché quels signes ayant une signification absolue ils pourraient utiliser en cas de rencontre avec une autre espèce intelligente. Ils ont pensé tout de suite aux mathématiques. Et ils ont décidé de s'avancer vers les Autres avec la représentation du carré de l'hypoténuse comme clé de connaissance. Effectivement, le rapport entre les trois côtés d'un triangle rectangle ne dépend pas d'un langage ou d'une civilisation. Il est vrai pour le Bantou comme pour l'Esquimau ou le Capkennédien. Le carré de l'hypoténuse est une vérité universelle. Universelle tout au moins dans l'univers de l'homme. Dans l'univers construit avec les données amassées depuis un million d'années par un-deux-trois-quatre-cinq.

Mais l'être six-sept-huit-neuf-dix, ou même l'être supérieur qui « voit » le temps et possède six douzaines de sens, s'il ne jouit pas des nôtres, peut parfaitement ignorer, par exemple, ce qu'est un plan, ce qu'est un angle...

Alors, comment construire le triangle et concevoir l'hypoténuse?

Promenez votre main le long de l'arête rectiligne de votre bureau. Et regardez votre coude. Voyez quel mouvement compliqué il effectue, quelle ligne sinueuse, *courbe,* dessine son déplacement. Si vous n'aviez pas vos yeux pour vous dire que le bord de votre meuble où glisse votre main est une ligne droite, comment pourriez-vous l'imaginer, à travers ce mouvement de spaghetti?

Du fait même de sa conformation, le bras, dont une extrémité est libre et l'autre fixe, ne peut effectuer que des mouvements courbes. Avec ses deux bras, l'aveugle explore et construit autour de lui un univers dont toutes les portions sont arrondies, une mosaïque de débris de coquillages. Ce n'est pas l'ouïe qui risque de le détromper, car les sons lui parviennent selon les rayons d'une sphère dont il occupe le centre.

Nous ne sommes guère plus clairvoyants que l'aveugle. Tous nos raisonnements nous restent attachés à l'épaule, même lorsque nous les projetons jusqu'aux étoiles. Nos sens et notre raison nous bâtissent un univers qui nous enferme comme un cocon. Il enferme avec nous tout ce que nous pouvons connaître au moyen d'un-deux-trois-quatre-cinq et tout ce que notre logique peut en déduire. Rien d'autre ne peut y pénétrer, nous ne pouvons en sortir.

Chaque connaissance nouvelle, chaque pensée hardie accroît l'épaisseur du mur qui nous entoure. Parfois une crise de claustrophobie suffocante nous jette contre lui, tête en avant. Mais il nous repousse inéluctablement dans le sensible et le raisonnable. Nous n'en sortirons pas en nous appuyant sur ce que nous savons. Pas plus qu'un homme ne peut se soulever en se tirant par les cheveux.

Ce n'est même pas une porte que nous désirons. Une fenêtre nous contenterait, un hublot, une transparence. Nous voulons voir ce qu'il y a hors de chez nous, et essayer de comprendre l'ordonnance de la cité.

Les religions prétendent nous ouvrir un œil-de-bœuf. Il faut grimper sur les meubles pour l'atteindre, et quand nous y sommes nous trouvons l'ouverture obstruée par un miroir brumeux où se dessine vaguement la silhouette d'un géant barbu qui nous ressemble. Ce n'est pas un grand-père que nous cherchons. Nous voulons connaître la Vérité qui est derrière notre réalité et derrière tous les réels possibles. Nous voulons savoir si notre univers, et tous les autres, ont une raison d'être. S'il était nécessaire que le caillou devînt homme. S'il existe une fin vers laquelle tendent l'énergie prodigieuse, l'organisation impitoyable, les perpétuels et éblouissants miracles de la vie.

S'il y a une justification à la monstrueuse, abominable souffrance du vivant.

Nous ne connaîtrons jamais l'odeur d'une galaxie.
Nous ne pourrons jamais écouter un atome.

Nos sens sont non seulement limités dans leur nombre mais, aussi, dans la dimension de leurs possibilités.

Nous ne pouvons pas connaître grand-chose, nous sommes petits, moins que rien, en voyage sur un grain de poussière. Nos radars, télescopes, microscopes ne sont pas des sens nouveaux, mais de faibles prolongements, misérables, dont nous essayons de doter nos sens naturels. Les radio-télescopes nous ont permis de détecter, puis de photographier des galaxies situées à des milliards d'années-lumière. C'est-à-dire qu'elles sont si fabuleusement lointaines que la lumière partie d'elles, voyageant à la vitesse d'un milliard de kilomètres à l'heure, a mis des milliards d'années pour parvenir jusqu'à la plaque photographique tendue par nos astronomes...

Fantastique distance. Pour nous, oui. A l'échelle de la Terre et de ce qu'elle porte, oui. Mais en soi? Mais par rapport au Tout?

Le monde dont nous faisons matériellement partie est un tourbillon de tourbillons se répétant à des échelles infinies, des particules aux atomes, des atomes aux systèmes solaires, des soleils aux galaxies, des galaxies aux Univers...

Et les Univers ne sont peut-être que des particules tourbillonnant dans les atomes d'une des molécules d'un grain de sable...

Nous sommes emportés par ce vertige, sans savoir d'où il vient ni où il nous entraîne, sans savoir même ce que nous sommes. Car l'organisation de notre chair vivante est aussi inconnaissable que le monde. Nous ne pouvons rien connaître du véritable maître de notre vie charnelle, qui commande à tout instant à chacun de nos organes et de nos milliards de cellules. Ce directeur sans défaillance et sans sommeil ne fait pas partie de ce fragment de l'Univers, intérieur ou extérieur, que nos sens sont admis à explorer. Nous ne pouvons ni toucher, ni écouter, ni sentir, ni voir, ni rien savoir du vrai conducteur du véhicule dont notre conscience n'est que le passager engourdi.

Et ce que nous pouvons connaître de la création est à l'échelle de nous-mêmes. Les dimensions en mouvement se déploient dans toutes les directions interminables, et nous sommes au croisement, avec nos deux bras étendus, si misérablement courts, nos deux bras attachés à nos épaules et le mur de nos connaissances au bout des doigts.

Mais le peu que nous ayons la possibilité de saisir est encore trop grand pour nous. Nous n'avons pas le temps. Nous sommes limités aussi dans cette dimension. Notre vie est courte. Une étincelle.

L'Univers, notre Univers, celui que nous sommes capables de connaître, enfermé avec nous à l'intérieur de nos limites, il faudrait pour l'explorer une éternité de vie d'homme.

Et si une éternelle intelligence humaine parvenait au bout de cette exploration, il lui resterait le regret amer de l'inconnaissable.

Il existe peut-être un autre moyen de savoir. C'est de renoncer à connaître, et de chercher à comprendre.

« Mon pauvre enfant », me dit un jour un vénérable vieillard curé ému par mon angoisse et qui avait lui-même trouvé depuis longtemps la paix dans les automatismes d'une foi enfantine, « mon pauvre enfant, ce sont des mystères, ne cherchez pas à comprendre... »

Si. Justement si. Je n'y parviendrai peut-être jamais, mais jusqu'à mon dernier souffle, je chercherai à comprendre. Comprendre où je suis et ce que je suis et ce que j'y fais, et à quoi ça rime. Ce corps qui s'est construit sans moi, et qui vit sans mon intervention, cet esprit qu'il enferme dans un scaphandre qu'ont-ils à faire ensemble, vers quelle vase ou quel trésor s'enfoncent-ils dans l'océan de la matière ? Cette chair souffrante et jouissante qui me commande, et qui est faite de vide et qui saigne, qui a reçu du fond des âges une vie qui la laissera tomber et pourrir, cet esprit qui aura à peine le temps de naître avant de s'évanouir, je veux comprendre, comprendre,

comprendre, pourquoi ils sont associés, si mal assortis, et s'ils ont un rôle à jouer, une place à tenir, exactement, quelque part entre la salade et la galaxie.

Le rôle de toute religion est de faire comprendre à l'homme ce qu'est la création, quelle place il y occupe et quel rôle il y joue. Et jamais, jamais, jamais, de lui dire : « Ne cherchez pas à comprendre. »

Le rôle de toute religion est d'établir entre l'homme et le reste du monde des rapports exacts. Et jamais, jamais, jamais, de dresser entre le monde et l'homme des remparts de fumée et des murs d'illusions.

Le rôle du prêtre est de prendre le fidèle par la main et de le conduire, par le chemin du rite, vers la vérité.

L'initiation à tous les mystères, la clé qu'on donnait au néophyte, c'était *l'explication* qui lui permettait de comprendre. La sublime clarté dont parlent les mystiques, c'est celle de la compréhension. *Tout leur est clair.* Mais ne peuvent donner la clé ceux qui l'ont perdue, ne peuvent montrer le chemin ceux qui ne savent plus que le chemin existe. Ne peuvent rien expliquer ceux qui ne savent plus rien.

Vieilles religions vidées de tout, pareilles à des figues de l'autre saison pendant flétries à l'arbre d'hiver... Curés courants, évêques gras, pasteurs familias s'arrachant à la conscience des touffes de bonnes paroles pour y nicher leurs brebis, rabbins rabbinant, bonzes rasés jusqu'à l'intérieur du cerveau, tous ont Dieu perdu, en chemin perdu, depuis le temps qu'ils courent. Ils ont gardé un nom, et peint des images. Images à leur image, nom couvert de mouches. Dieu. Quel autre nom Lui donner?

Les hommes du siècle dernier, les atroces barbus des années 80 étaient bien certains d'avoir atteint le bout des connaissances. Avec l'électricité et l'évolutionnisme, ils tenaient les clés de l'Univers. Leur raison ne laissait rien dans l'ombre. Ils étaient certains. Les prêtres aussi. Cela donna lieu aux batailles que l'on sait. Aujourd'hui, quelques poils de barbe traînent encore dans les laboratoires, mais les certitudes raisonnables sont envolées. Et les Églises, sentant le vide les ronger par l'intérieur, se rapprochent les unes des autres, comme des poules malades dans un coin du poulailler. L'œcuménisme, ce n'est pas la tolérance qui l'inspire, c'est l'inquiétude. Ce n'est pas une renaissance qu'il annonce, mais une leucémie.

Et l'homme d'aujourd'hui, lâché par le rationalisme et par l'irrationnel, titube comme un infirme à qui on a volé ses béquilles.

Il va falloir qu'il apprenne à marcher.

Ou qu'il tombe.

Ou qu'il s'envole.

Quelque application qu'on y mette, il est difficile de croire que le monde n'est qu'un tas confus, un ramassis de matière assemblé fortuitement et battu comme blanc d'œuf par le fouet des énergies de hasard. De l'infiniment grand à l'infiniment petit, l'examen des ensembles et des détails nous montre au contraire que *tout est en ordre*. Non seulement en ordre, mais organisé. Face aux singuliers problèmes que posent cet ordre et cette organisation, la solution rationaliste est de se satisfaire du « comment ». Sachant *comment* se déroule une suite de phénomènes, ayant fait la lumière sur le fonctionnement d'un mécanisme cosmique ou biologique, on s'estime satisfait. *Le monde est, et il est ainsi. Il n'y a pas lieu de chercher à en savoir plus long.*

Cela ressemble singulièrement au ne-cherchez-pas-à-comprendre du vénérable vieillard curé.

Eh bien, qu'on m'excuse, tant que j'aurai un souffle de vie, je chercherai à en savoir plus long, même si tous mes désirs et tous mes efforts ne me font pas grimper d'un échelon.

Le loup captif qui sans cesse va et vient derrière ses barreaux me paraît plus raisonnable, sinon plus rationnel, que celui qui résigné se couche en rond dans la paille. En essayant, mille fois l'heure, de franchir l'infranchissable, qui sait peut-être un jour il passera...

Pour se rendre compte objectivement de l'effarante multitude de prodiges que constitue le vivant, il convient de l'examiner avec une attention et une réflexion débarrassées de l'accoutumance.

Que Lazare sorte de son tombeau, c'est un miracle. Mais si tous les morts se mettent à en faire autant, notre étonnement va disparaître très vite et l'habitude nous fera considérer la résurrection comme un phénomène naturel dont nous allons nous attacher à connaître les particularités constantes, pour les nommer lois...

Nous sommes entourés de miracles auxquels nous sommes habitués. Nous vivons par miracles, tout le vivant est miraculeux dans ses moindres détails, mais nous sommes si accoutumés au merveilleux quotidien qu'il a perdu tout pouvoir de nous émerveiller.

Qu'y a-t-il, par exemple, qui nous paraisse plus ordinaire que les oreilles? Deux pavillons biscornus un peu ridicules prolongés par deux trous dans la tête. Émergées de l'utérus maternel en parfait état de fonctionnement, elles se sont mises aussitôt à nous servir sans le moindre apprentissage de notre part. Elles captent les vibrations du monde extérieur et les transforment pour nous en un monde sonore, sans que nous ayons à faire le moindre effort. Nous n'avons pas besoin d'écouter pour entendre. Qu'un rossignol trémolise pour sa belle et que les vibrations de l'air modulé par sa gorge résonnent dans notre cerveau, nous n'irons tout de même pas nous en étonner? C'est tout naturel.

Naturel. Oui. Naturel.

Le naturel est miraculeux.

Voyons un peu par exemple, cette oreille si ordinaire. Nous avons tous appris à l'école qu'elle est divisée en trois parties, l'oreille externe, l'oreille moyenne et l'oreille interne. L'oreille externe commence par le pavillon, qui recueille les ondes sonores, et se termine par le tympan. Or il est commun qu'avec l'âge, le tympan et tout ce qui le suit deviennent moins sensibles. Toute la machinerie de l'oreille a donc besoin de recueillir des portions d'ondes plus importantes pour être mise en action. C'est ce besoin qui fait à certains d'entre vous mettre la main en cornet autour du pavillon. Vous ne l'avez jamais fait? Hélas, hélas, ça viendra... Or, un éminent médecin me disait dernièrement qu'après de multiples observations il pouvait affirmer que chez les vieillards, *les oreilles grandissent.*

Depuis qu'il me l'a dit, j'ai regardé les vieux. Regardez à votre tour, c'est vrai. C'est surtout visible chez les gens très âgés. Certains ont des pavillons considérables. De vraies feuilles de laitues... Passons du pavillon au tympan. Nous vivons dans un tel vacarme que nous ne pouvons plus jouir de sa sensibilité exquise. Il est sans arrêt assailli par une macédoine de bruits permanents qui le maintiennent en vibration perpétuelle. Et nos nerfs auditifs, pour nous défendre, mettent une sourdine à la réception, un coup de gomme général. Mais au départ, la sensibilité du tympan est telle (je cite ici textuellement P. Danysz dans *Science et Avenir* de juillet 1962) « qu'il peut pour certaines fréquences [...] réagir (selon le Dr Bekesy) à des vibrations dont l'amplitude est inférieure à un milliardième de millimètre, soit le dixième du diamètre d'un atome d'hydrogène. Ainsi, dans le silence absolu, *notre oreille pourrait entendre s'entrechoquer les molécules d'air* agitées par le mouvement brownien ! ».

Pas mal... C'est encore mieux plus loin. Pénétrons.

L'onde qui fait vibrer le tympan lui a été transmise par le milieu dans lequel nous vivons : l'air. Mais le corps de l'homme, apparemment solide, est en réalité liquide. Un homme de 80 kilos contient environ 50 litres d'eau. La vibration, pour être assimilée par l'organisme humain, devra donc passer du milieu gazeux au milieu liquide. Ce faisant, elle risque de subir au passage un coup de frein. L'oreille moyenne va fournir la solution à ce problème.

L'oreille externe est en plein air. L'oreille interne est une boîte close pleine d'eau. Placée entre les deux, l'oreille moyenne va transmettre la vibration de l'une à l'autre par l'entremise de trois os minuscules, le marteau, l'enclume et l'étrier.

Le marteau est solidaire du tympan et vibre avec lui.

Il communique ses mouvements à l'enclume, qui les passe à l'étrier.

L'étrier fait vibrer une membrane élastique sur laquelle il s'appuie, et qui ferme une fenêtre pratiquée dans la boîte en os de l'oreille interne.

Les trois os intercalaires sont si miraculeusement astucieux dans leur forme, leur équilibre, leur architecture, leur agencement et les rapports de leurs dimensions, que l'onde transmise par eux du tympan à l'oreille interne se trouve en même temps amplifiée dans la proportion de 1 à 22...

Ajoutons que pour éviter les surpressions et les dépressions dans cette oreille moyenne fermée par deux membranes vibrantes, un canal de dérivation a été percé à travers chair et os : c'est la trompe d'Eustache, en relation avec l'atmosphère extérieure par la bouche. Ainsi la pression reste-t-elle toujours la même à l'intérieur et à l'extérieur de l'oreille.

Pas mal...

C'est encore mieux plus loin. Enfonçons-nous dans l'oreille interne. Jusqu'ici tout était très simple. Nous pouvions admirer le génie artisanal qui avait confectionné chaque osselet selon une forme minutieusement parfaite et les avait assemblés au moyen de muscles et ligaments minuscules dans un équilibre fonctionnel exact. Mais il nous était facile de comprendre comment les trois os faisaient ce qu'ils avaient à faire. Dans l'oreille interne cela devient extrêmement ardu. Nous passons de l'atelier d'horloger au laboratoire électronique. Et c'est bien peu dire. Car toutes les sciences doivent être sollicitées pour éclairer ce qui se passe ici.

Nous ne sommes pas assez savants, ni vous ni moi, pour tout analyser. D'ailleurs, les plus savants eux-mêmes...

Nous allons jeter, dans cette étrange caverne, un simple regard de profane. Un regard candide. Le regard de quelqu'un qui ne prétend pas savoir *pourquoi* quand on lui a expliqué *comment*.

Nous négligerons les canaux semi-circulaires, qui sont situés dans l'oreille interne mais n'interviennent pas dans le fonctionnement de l'ouïe. Du moins à ce que nous savons. Il y a sans doute une raison profonde pour qu'ils se trouvent là et non ailleurs, mais nous ne la connaissons pas. Nous savons seulement qu'ils sont le siège, le centre de l'équilibre. Ils sont trois, assemblés, chacun en forme de demi-cercle, chacun perpendiculaire aux deux autres, chacun placé dans une des trois dimensions.

Qu'ils viennent à être lésés, par blessure ou maladie, et l'homme vertical ne peut plus se tenir debout. Même couché de tout son long, les yeux fermés, il ne se sent plus en équilibre. Il ne sait plus ce que sont la stabilité, la sécurité, le repos. De tous côtés le sollicitent des chutes abominables, et il ne peut se cramponner à rien car son univers bascule dans les trois dimensions.

Un homme peut devenir sourd, aveugle, muet, manchot, cul-de-jatte, cardiaque, tuberculeux, châtré et rester un homme. Il peut sombrer dans le coma et continuer à faire partie, passivement, de notre univers, comme un caillou. Mais privé de ses canaux semi-circulaires, il est rejeté hors du monde, dont la loi première, la condition de constitution, est l'équilibre. Il n'est plus qu'un fragment de conscience du chaos.

Si ces canaux se trouvent dans l'oreille interne, c'est peut-être à cause de leur extrême importance. L'oreille interne est en effet l'emplacement le mieux protégé du corps. C'est une petite boîte solide dans la grande boîte solide du crâne. Le crâne qui doit protéger les oreilles et le cerveau est de forme à peu près sphérique. La sphère est la forme la plus apte à rejeter les coups vers la tangente et résister aux chocs.

Abandonnons ces mystérieux canaux, ces trois gyroscopes immobiles qui sont en quelque sorte le nœud de communication entre l'équilibre universel et celui de l'individu, et reprenons la vibration où nous l'avons laissée : entrant par la fenêtre de l'oreille interne.

Derrière la membrane vibrante qui ferme cette fenêtre se trouve le labyrinthe où la vibration va poursuivre son chemin. Ce labyrinthe a la forme d'un coquillage enroulé, une sorte de colimaçon pointu, dont la base est tournée vers la fenêtre et la pointe enfoncée vers l'intérieur de la tête. Mais les coquillages terrestres ou marins, tels que nous les connaissons, se composent d'une seule cavité s'enroulant sur elle-même. Ici, il y en a trois, trois conduites s'enroulant ensemble de la base jusqu'à la pointe où deux d'entre elles communiquent. La troisième, qu'on a baptisée le limaçon, est hermétiquement close : mais elle est séparée de la deuxième, tout le long de ses spires, par une membrane vibrante — encore une ! Dans le limaçon, derrière la membrane vibrante enroulée le long des spires, sont disposées environ vingt-cinq mille « cellules auditives ». Chaque cellule est hérissée de cils vibratiles à une de ses extrémités. Son autre extrémité se prolonge par un filet nerveux. Ces filets nerveux réunis en faisceaux formeront le nerf auditif chargé de porter au cerveau le message de l'oreille.

Que se passe-t-il dans ce labyrinthe ? En gros, quand la fenêtre se met à vibrer, le liquide qu'il contient transmet les vibrations aux cellules nerveuses, qui les transforment en influx nerveux et dirigent celui-ci vers le cerveau par le nerf auditif. Mais pourquoi cette forme colimaçonnesque ?

Imaginons que les cellules nerveuses soient disposées directement derrière la membrane plane de la fenêtre. Imaginons aussi que vous soyez en train de marcher dans la forêt de Chambord par une nuit de printemps. Votre oreille reçoit le chant d'amour du rossignol, le frisson du vent dans les feuilles nouvelles, le bruit de vos pas sur les brindilles, le bramement du cerf, les incongruités sonores du récepteur TV dans la maison du garde, le chœur des grenouilles, un solo de Caravelle qui passe là-haut, un ruisseau qui mouille son lit, un sanglier effrayé qui troue un fourré, un vélomoteur à dix kilomètres...

Votre oreille reçoit tout cela *en même temps*.

Si vos cellules auditives se trouvaient disposées

toutes sur le même plan derrière la membrane de la fenêtre, elles seraient toutes sollicitées à la fois et votre cerveau recevrait tous les sons mélangés, percevrait une bouillie de bruits impossibles à séparer les uns des autres et à identifier. Le monde sonore ne serait rien d'autre pour vous qu'un ronflement perpétuel dont les seules modifications seraient les variations d'intensité.

Le labyrinthe de l'oreille interne se charge de transformer cette bouillie, ce magma de vibrations en un ensemble sonore où chaque son sera individualisé. Au cerveau ensuite d'identifier et de choisir. Il y a autant de différence entre ce qui parvient à l'oreille interne par sa fenêtre élastique et ce qui en sort par son nerf auditif qu'entre un gâchis de couleurs passées au mixer et un tableau composé avec les mêmes couleurs.

Comment le labyrinthe procède-t-il à l'analyse de cette purée vibrante?

Il est difficile de le savoir, car pour *voir* ce qui se passe dans une oreille, il faut l'ouvrir et, à partir du moment où on l'ouvre, il est bien évident qu'il ne s'y passe plus rien. En tous les cas, plus rien de normal.

Les expérimentations boiteuses qu'on a pu faire ont donné quelques indications. A la logique de bâtir des hypothèses...

La vibration totale s'engage dans une conduite dont le diamètre diminue constamment, selon une courbe logarithmique qui comblerait d'aise Salvador Dali. Chacune des vibrations partielles qui la composent traversera donc, à un certain passage de son trajet, une portion de labyrinthe d'un diamètre qui correspond à sa longueur d'onde particulière et qui lui permettra de faire entrer en résonance, à ce diamètre-là seulement et par cette longueur d'onde seulement, le dispositif d'audition. A cet endroit-là seulement, les cils des cellules auditives se mettent à vibrer, pour ce son-là seulement. Il en est ainsi pour chacune des longueurs d'onde qui composent la vibration complexe entrée par la fenêtre. Tout le long de l'enroulement hélicoïdal, chaque groupe de cellules va pêcher la longueur d'onde qui le concerne. Quand il arrivera au bout du labyrinthe, le magma sonore aura été complètement analysé.

C'est une hypothèse. Les lois de la mécanique et de l'acoustique nous permettent de la trouver plausible. Les expériences faites dans des conditions non satisfaisantes semblent la confirmer — la membrane du limaçon vibre en effet d'une façon sélective — et l'infirmer : la membrane vibre dans les spires les plus étroites pour les sons graves et dans les spires les plus larges pour les sons aigus. L'acoustique nous inclinerait à nous satisfaire du phénomène contraire. Nous pouvons seulement en conclure que nous ne comprenons pas ce qui se passe exactement, mais que ce qui se passe est effectivement fonction des longueurs d'onde d'une part et de l'enroulement hélicoïdal des trois conduites d'autre part. Mais la longueur d'onde ne suffit pas à définir un son. Au concert, ou devant votre électrophone, votre oreille est parfaitement capable de discerner une même note jouée par le piano, le violon ou la flûte. Ce sont pourtant les mêmes cellules, de la même portion hélicoïdale, qui vont être émues par le même do des trois instruments. Qui fait alors la différence?

Il est probable que ce sont les cils vibratiles. Ce qui se passe à leur niveau est un phénomène qu'on a pu constater mais non expliquer. Il en est ainsi chaque fois qu'on se trouve devant les manifestations de base de l'électricité et de la vie : quand un cil se met à vibrer, un microcourant électrique prend naissance dans sa substance, se propage dans la cellule auditive dont il est le prolongement et, de là, par le filet nerveux et le nerf auditif, gagne le cerveau.

Or, aucun de ces cils n'est absolument pareil à un autre dans son diamètre, sa longueur et la disposition de ses molécules. Il est donc possible que chacun d'eux ou chaque molécule de chacun d'eux soit plus ou moins sensible à telles ou telles caractéristiques de la vibration qui n'ont rien à voir avec la longueur d'onde, mais qui constituent le timbre du piano ou de la trompette.

Chaque molécule de chaque cil envoyant à la cellule un micro-microcourant différemment modulé, celle-ci en fait la synthèse, en tire la résultante, et l'expédie vers le cerveau, par son fil spécial. Les 25 000 fils spéciaux issus des 25 000 cellules apportent en même temps au cerveau chacun son microcourant qui diffère des 25 000 autres par son microvoltage, sa micro-intensité, sa micro-énergie, sa micromodulation et sans doute par d'autres micro-particularités dont nous n'avons pas la moindre idée. Le cerveau reçoit les 25 000 signaux électriques et les transforme, par un processus qu'il ne semble pas que nous puissions jamais élucider, en sensation auditive. La bouillie vibratoire recueillie par le pavillon, reçue par le tympan, amplifiée par les osselets, analysée par le labyrinthe, codée par le limaçon, acheminée par le câble auditif, traduite par le cortex cervical est devenue une mosaïque sonore construite, claire, profonde et colorée; le cerf et la grenouille, et le soupir du vent, sont entrés dans votre tête et vous les avez reconnus.

Voilà ce qui se passe dans l'oreille. Du moins à peu près. J'ai beaucoup simplifié ce que nous connaissons. Et nous ne connaissons pas tout.

Et ce que j'ai supposé est peut-être inexact. Mais si nous connaissions tout, avec exactitude, nous aurions sans doute encore plus de raisons de nous sentir étreints par l'émerveillement, et par l'angoisse de l'inconnu.

Qui a conçu l'oreille?

Il faut être singulièrement facile à contenter pour accepter de voir dans la simplicité harmonieuse de son aménagement général, le raffinement de ses détails, la diversité de son fonctionnement mécanique, acoustique, électrique, chimique, séreux, sanguin, conjonctif, osseux, musculaire, nerveux, liquide, solide, gazeux, et nous en oublions, et nous en ignorons, et dans la coordination immédiate et parfaite de cette multiple subtilité, le résultat chanceux de mutations hasardeuses.

Nous admettons volontiers le système de la sélection du mieux armé et du mieux adapté. L'animal qui avait une oreille a survécu à celui qui n'en avait pas. D'accord. Mais *qui* a donné son oreille à celui qui l'avait?

Ce n'est pas si simple, dit-on. Il y a eu d'abord une cellule qui était vaguement sensible aux vibrations, puis...

D'accord.

Mais *comment* cette cellule vaguement sensible a-t-elle transformé cette vibration en une sensation auditive? Comment s'est-elle adjoint d'autres cellules? Comment se sont-elles fait pousser des cils sélectifs, se sont-elles enfermées dans le limaçon, le limaçon dans le labyrinthe? Comment se sont-elles fait précéder d'un système amplificateur? Comment ont-elles fait émerger et fleurir le pavillon? Comment? comment? comment? *Qui a voulu ces perfectionnements successifs?*

Est-ce l'individu?

Si c'était possible, tous les hommes se seraient depuis longtemps fait pousser des ailes et des yeux derrière la tête.

Est-ce l'espèce? La matière vivante elle-même? *Qui?*

L'oreille ne s'est pas faite par l'invraisemblable hasard de millions de mutations favorables.

L'oreille est un ensemble conçu, architecturé, organisé. Le hasard ne conçoit pas, n'ajuste pas, n'organise pas. Le hasard ne fait que de la bouillie.

Même si on tient compte du facteur temps, on ne peut pas accepter l'explication du hasard. Je connais l'argument du singe et de la machine à écrire : si on place un singe devant une machine à écrire et qu'il tape au hasard sur le clavier pendant l'éternité, comme il tapera une infinité de combinaisons de lettres, il finira par taper le texte de la Bible.

Je n'accepte pas cet argument. Il est faux. Il confond la quantité et la qualité. Le singe ne tapera pas la Bible, pas même *La Cigale et la Fourmi.* Il tapera pendant l'éternité un cafouillis lettriste, jusqu'à la fin des temps.

Vous pouvez lancer un dé pendant l'éternité, vous n'obtiendrez *jamais* une série de 1 000 six. Or il faudrait une accumulation de mutations favorables autrement extraordinaire qu'une série de 1 000 six pour fabriquer une oreille, ou une marguerite ou un petit chat.

Alors d'où viennent l'oreille et la marguerite?

Il y a quelqu'un!...

Il y a quelqu'un sous le lit, dans l'armoire! Il y a quelqu'un dans notre vie, dans notre chair. Quelqu'un qui nous a faits et qui fait de nous ce qu'il veut.

Le lièvre a de grandes oreilles.

De récentes études du comportement de ce quadrupède ont montré que toute sa vie était déterminée par la peur. Le lièvre n'existe que pour être tué, et il semble qu'il le sache. De sa naissance à sa mort violente, il se cache et fuit, fuit et se cache, cache ses petits, ne se cache pas avec eux pour limiter les dégâts, fuit la nuit, fuit le jour, et parce qu'il n'aura pas couru assez vite, ne se sera pas assez bien caché, finira par être mangé, sans avoir connu, pendant sa vie traquée, autre chose que la terreur.

Le lièvre a de grandes oreilles, une ouïe très fine.

La nature, l'espèce, l'ingénieur, l'architecte, Dieu, qui vous voudrez, lui a donné une bonne paire, dans sa petite tête de victime, de ce merveilleux appareil à entendre venir l'assassin.

Cela lui permet de dormir moins, de fuir à temps, de survivre juste assez pour ensemencer en hâte sa femelle, afin que la lignée de la peur ne s'éteigne pas.

Le renard aussi a de bonnes oreilles. La belette, le chien de chasse également.

Et l'homme de Lascaux ou d'Altamira qui affrontait le bison avec des armes de pierre était capable d'entendre le troupeau dormir de l'autre côté du fleuve.

L'oreille est avant tout un instrument de détection, au service du meurtrier pour traquer sa victime, au service de la proie pour surprendre les pas feutrés de la mort qui arrive. C'est le radar du mangeur et du mangé.

Dans la petite tête du lièvre, les merveilleux labyrinthes avec leurs trois cavités hélicoïdales, leur mousse subtile de poils vibratiles, leurs milliers de cellules accordées sur tous les bruits du monde des lièvres n'ont d'autre fonction que de déceler l'approche furtive d'une autre paire de labyrinthes précédés d'une mâchoire carnassière. Ici la sélection naturelle joue à plein. Le lièvre qui aura l'oreille fine et la détente vive vivra plus longtemps que son frère dur d'oreille, et il aura plus de descendants. Grâce à la sensibilité de ses tympans, à la mobilité de ses osselets, à la sélectivité de ses cellules traductrices, à la promptitude de ses circuits nerveux, la chasse et la terreur pourront survivre...

L'ouïe, l'odorat, la vue, les muscles, le cerveau, les millions d'inventions prodigieuses qui articulent le monde vivant semblent n'avoir été créés que pour maintenir les créatures dans le meurtre et dans l'horreur.

La fabrication de l'oreille n'est pas le fait du hasard. Son utilisation non plus.

Les lois qui régissent le fonctionnement et l'équilibre du monde vivant sont aussi rigides, inéluctables que celles qui commandent les évolutions des galaxies et des atomes. Ni la cellule, ni l'individu, ni l'espèce ne peuvent échapper aux ordres de survie et d'agression. Si une espèce disparaît, c'est qu'elle a été remplacée par une autre plus meurtrière, ou plus efficace dans la production de la chair consommable.

Le comportement général du monde vivant fait penser à celui du légendaire catoblépas, dont l'appétit et la stupidité étaient si grands qu'apercevant le bout de sa queue il s'en saisit, commença à la manger et continua jusqu'à ce qu'il se fût entièrement dévoré. Mais le monde vivant n'est pas stupide : il est contraint. Il ne peut subsister qu'en dévorant sa propre chair.

Et il ne parvient jamais à la dernière bouchée : en se mangeant, il assure sa survie et son accroissement; ses entrailles lacérées se renouvellent, sa chair déchirée repousse et pousse et réclame encore plus de nourriture à ses mâchoires qui grandissent et mordent davantage sa chair renaissante et toujours dévorée.

Et sans arrêt, chaque jour, à chaque instant, tandis qu'il fuit en rond dans l'absurde espoir d'échapper à lui-même, tandis qu'il s'égorge et renaît pour recommencer à se meurtrir, sans cesse augmente la somme monstrueuse, la somme inexpiable de sa souffrance et de sa peur.

On ne peut pas pardonner cela à Dieu.

Voilà de nouveau ce nom gênant. Chaque fois que nous le rencontrons, il provoque dans notre esprit un réflexe immédiat d'adoration ou de haine, d'humilité ou de ricanement, ou de pseudo-indifférence qui est peut-être l'attitude la plus négative et la plus inhibitrice de toute liberté de jugement. Ce réflexe, pour ou contre, bloque immédiatement tout le mouvement de la raison. Et la passion prend sa place. Sinon la passion, du moins le sentiment, ce qui ne vaut pas mieux.

Comment puis-je me permettre d'écrire ce nom, moi qui ne suis ni « croyant » ni « anti »? Seulement l'homme qui cherche à comprendre...

Les fidèles vont me vouer au bûcher ou me plaindre, les rationalistes m'accuser de punaiser clandestinement les sacristies.

Mais que puis-je écrire?

L'Esprit? Le Créateur? L'Être suprême? L'Ordinateur?

Le Grand Architecte? L'Incréé? L'Un? Le Tout? Le Père?

L'Impersonnel? La Cause universelle?

Mille noms, aucun n'est bon, chacun détermine, limite, donne une sorte de personnalité à ce qui ne saurait en avoir. Seul le mot Dieu est assez indéfini pour ne pas tordre la direction de notre quête vers une impasse particulière. Mais il faut faire l'effort d'oublier deux mille ans de propagande des églises et les himalayas de niaiseries qu'on a entassés sur le nom de la Vérité.

Il faut se nettoyer des fanatismes anticléricaux ou religieux et des habitudes d'esprit qui font refuser toute velléité de recherche au-delà du bout du microscope ou du catéchisme.

Nul ne sait plus ce que signifie le nom de Dieu.

L'adorer ou le haïr est pareillement infantile.

On ne hait pas, on n'adore pas un je-ne-sais-quoi.

Ce que je sais, c'est que notre univers, considéré dans ce que nous pouvons connaître ou deviner de son ensemble ou de ses plus infimes détails, ne peut être confondu avec un produit informe et inorganisé du hasard, fût-il éternel.

C'est que son examen sans parti pris impose à notre logique la conclusion qu'il est le fruit d'une intelligence inventive et d'une volonté planificatrice. C'est que la soif me dévore de savoir ce qu'est cette intelligence, ce que veut cette volonté, ce qu'elle veut de nous, nous les vivants, nous les poissons avalés, les lièvres saignés, les rameaux coupés, les herbes tondues, nous la graine germante et le grain broyé.

Le Dieu-papa que nous proposent les religions leucémiques est une tentative aussi dérisoire et aussi cocasse d'apaiser notre soif que l'octroi d'une goutte de sirop à un déshydraté.

Il nous faut retrouver la source vive de la vérité, et pour cela déblayer ou sonder l'himalaya dont on l'a recouverte.

C'est une tâche énorme, mais il n'y a pas de tâche plus urgente.

La loi première de notre univers, c'est l'équilibre.

Essayez d'imaginer un monde où rien n'équilibrerait rien.

Il n'y aurait plus nulle part nulle place pour nulle chose, et les choses elles-mêmes ne seraient plus, car il n'y aurait plus de rassemblement de matière, plus de combinaisons de molécules, plus de molécules, plus d'atomes, plus rien qu'un fouillis d'énergies déchaînées et sans effet. C'est cela sans doute le chaos.

Le monde vivant lui aussi est en équilibre. Équilibre entre la vie et la mort, entre l'animé et l'inanimé, entre le végétal et l'animal, entre les fureurs de vivre des espèces concurrentes, entre l'appétit des tueurs et la prolifération des tués...

Le moyen le plus efficace de conserver cet équilibre est de manger les enfants.

Dans toutes les espèces, les enfants sont avant tout un aliment. Ils sont aussi de futurs adultes, mais seulement un petit nombre parvient à cet état futur. L'oisillon est mangé dans l'œuf ou au nid, le levraut au gîte, l'alevin gobé à la première nage.

Au coq, l'homme préfère le poulet.

Cette consommation des enfants est le frein qui empêche les espèces d'exploser. C'est dans les océans, une fois encore, que l'hécatombe est la plus grande.

J'ignore quelle est exactement la proportion des rescapés, mais en écrivant qu'un enfant-poisson sur cent mille échappe au bain de suc digestif, je suis sans doute optimiste.

Ce n'est pas grand-chose qu'un alevin. Un fil de vie parcouru par un brin de nerf. Juste assez pour éprouver un brin de peur, un brin de souffrance. Juste assez pour être empli tout entier de souffrance et de peur. Mille milliards d'alevins avalés vifs, mille milliards de brins de conscience se dissolvant dans la douleur. Ce n'est rien, c'est le quotidien.

Avez-vous déjà vu un tout petit enfant d'homme, un bébé, un nourrisson, en proie à une otite? Il ne comprend pas ce qui lui arrive. Tout à coup la souffrance est tombée sur lui, elle est dans lui, dans sa tête et lui tord les os. Il porte ses mains à ses oreilles, il crie, plus il crie plus il a mal, il ne peut y échapper, il ne peut rien faire. Quand il ouvre ses yeux, vous y lisez *la terreur*. C'est une horde de vivants qui a envahi un autre vivant et commence à le dévorer...

Il y a longtemps que les enfants des hommes ne sont plus mangés par les fauves, mais bien peu de temps que nous savons les protéger contre les assauts des bactéries, des bacilles et des virus. La mère humaine d'aujourd'hui, qui élève ses petits derrière les solides fortifications sanitaires, ne se rend pas compte de ce qu'était la précarité de la vie enfantine, il y a un siècle ou deux. Il suffit de lire les biographies pour être édifié. J.-S. Bach, par exemple, a eu 22 enfants, 7 ont survécu. Léopold Mozart a eu 7 enfants, 2 ont survécu. Pour notre plus grand bonheur, Wolfgang Amadeus...

En France, au milieu du XIXe siècle, la mortalité infantile était encore de près de 20 %. Aujourd'hui, elle est tombée à moins de 3 %.

C'est la grande révolution du monde vivant.

Les enfants des hommes ne sont plus mangés.

L'homme ne craint plus, ni pour lui ni pour ses fils, le tigre ni le loup, la peste ni le croup. Les grands fauves sont en cage, les microscopiques tenus en respect. L'homme ne nourrit plus de sa chair fraîche la vie des autres espèces. Il n'est plus mangé que mort.

Mais il continue à tuer. Il tue plus que jamais. Il détruit avec frénésie des pans entiers du monde vivant, rase les forêts, stérilise les étangs, massacre les oiseaux, égorge par milliards les agneaux et les poulets. Aucune espèce ne peut lui résister. Aucune ne peut plus le vaincre. Il a rompu à son seul profit l'équilibre du monde vivant.

Il tend à occuper à lui seul la planète, après avoir exterminé toutes les autres espèces.

Mais la loi d'équilibre est inéluctable. Une telle modification apportée à la structure du monde animé ne pouvait rester sans conséquence. Une effrayante compensation s'est établie. Le tueur trop bien défendu a vu se lever devant lui un ennemi à la mesure de ses forces et de ses défenses : lui-même.

L'homme animal, armé de ses mains et de ses dents, tuait et était tué. En s'élevant au-dessus de sa condition primitive, il s'est peu à peu rendu invulnérable à tous ses prédateurs. Mais les armes nouvelles qu'il ajoutait à ses armes naturelles, il les utilisait aussitôt contre ses semblables. Après avoir tué le loup il tuait son frère, d'abord à coups de silex, puis d'arbalète, puis de poudre à canon. L'espèce humaine s'infligeait à elle-même les blessures qu'elle ne recevait plus d'autrui.

Et cela devint vrai pour la bataille de l'intérieur comme pour celle de l'extérieur. Bouleversé par les vaccins, les sérums, les piqûres, les rayons, les pilules, les cachets, les sirops, les comprimés, les gouttes, les excitants, les calmants, les fortifiants, les antitoxiques, les antibiotiques, les analgésiques, les hormones de jument, les extraits de verrat, son organisme nettoyé, récuré, lavé, expurgé, défendu malgré lui, abandonna la discipline qui le mobilisait contre les agresseurs et laissa l'anarchie s'installer parmi les cellules : le cancer surgit où fuyait le microbe. L'homme se mit à dévorer lui-même son propre sein, son foie ou sa prostate.

Le cancer ne peut pourtant suffire à remplacer les mille formes d'agression des infiniment petits. Et peut-être, un jour très prochain, l'homme saura-t-il mater la révolte des cellules. Peut-être saura-t-il même les empêcher de vieillir.

Il a gagné presque toutes les batailles intérieures. Il n'est pas impossible qu'il gagne la guerre.

Au point où en sont les hostilités, aucun ennemi microscopique ne peut plus freiner l'accroissement de l'espèce humaine. Son élan est tel que dans quelques générations, très vite, la Terre lui sera trop petite. Nous sentons déjà, dans les villes, l'espace se rétrécir autour de nous. Les plafonds s'abaissent, les murs se rapprochent, les immeubles comprimés giclent vers le ciel. Ce sont les premiers signes. Cela va aller très vite. Nous sommes trois milliards. Nos petits-enfants seront vingt milliards. Avant un siècle, la Terre sera *pleine*. C'est au moment précis où s'amorce son explosion démographique que notre espèce invente la Bombe. L'humanité tout entière en est terrifiée. Ceux-là mêmes qui l'ont conçue et fabriquée en ont horreur, comme une femme en train d'accoucher qui verrait surgir de son sexe la tête d'un rat. Ils n'en continuent pas moins, en la maudissant, de travailler à la rendre de plus en plus meurtrière. Pas un chef de nation ne désire l'utiliser, et pourtant ceux qui en ont déjà en fabriquent d'autres et les entassent en quantités superflues, et ceux qui n'en ont pas encore se hâtent de faire ce qu'il faut pour en avoir.

La grande peur inspirée par la Bombe fait que pour la première fois peut-être dans l'histoire du monde pas un peuple, pas un gouvernement ne désire la guerre. Et tous, pourtant, envisagent comme possible de la voir éclater un jour n'importe comment sous le prétexte le plus dérisoire.

Et les hommes commencent à se rendre compte que l'Histoire de l'humanité est une partie de l'Histoire de la vie à laquelle leur volonté a eu à peu près autant de part qu'à la transformation du têtard en grenouille.

Il leur apparaît que la guerre n'est pas, comme ils l'ont cru longtemps, une manifestation accidentelle de la barbarie des nations, mais un phénomène permanent dont le déclenchement, la violence et la durée des accès échappent au contrôle humain. Les marxistes eux-mêmes, après avoir été persuadés qu'elle était fille du capitalisme, ont réalisé le danger d'une telle illusion et sont prêts à s'entendre avec leurs ennemis de classe pour mener contre elle une lutte commune.

Mais qui dévissera sa bombe le premier?

Personne.

Chacun sait qu'elle est mortelle et que c'est folie de la garder dans la maison des hommes, que ce soit dans la pièce Amérique, ou la pièce Asie, ou la pièce Europe.

Mais chacun s'y cramponne et la couche dans son lit.

Toutes les conférences de désarmement échoueront, toutes les propositions seront repoussées et tout le monde le sait.

Sécurité, contrôle : prétextes, futilités, enfantillages.

Personne ne veut se séparer de la Bombe.

En réalité, personne *ne peut* s'en séparer. Elle est née des hommes comme le venin naît de la vipère. La vipère ne peut pas, même si elle le désire, devenir couleuvre. Et si elle est vipère, ce n'est pas sa faute.

La Bombe est la plus récente forme de la guerre. La guerre est un phénomène de compensation intégré au processus vital de l'espèce humaine par une loi ou — c'est la même chose — une volonté d'équilibre, pour corriger l'inefficacité d'agression des autres espèces. A mesure que cette inefficacité grandissait, l'efficacité de la guerre a grandi. Du caillou à l'atome, la puissance des armes que l'homme a utilisées contre lui-même dessine la même courbe que l'expansion de l'espèce. L'une et l'autre viennent d'atteindre le bas de l'élan vertical, vertigineux, total. L'homme en train de devenir géant serre contre son cœur l'arme de son suicide. L'actionnera-t-il avant d'avoir escaladé le ciel?

S'il le fait, ce sera voulu, mais non par lui : ce sera un suicide commandé. Comme est commandé le perpétuel repas où les enfants sont mangés.

On pourrait douter de la vraisemblance d'un suicide collectif des hommes inconscient et imposé, si d'autres espèces ne nous offraient l'exemple d'un tel comportement.

Tout le monde a entendu parler de la course à la mort des lemmings, ces petits rongeurs qui vivent dans les montagnes de Scandinavie et qui, lorsque leur population a atteint une certaine densité, voyagent pendant des jours et des nuits en direction de la mer du Nord où ils se jettent et se noient.

Ce que l'on sait moins, c'est que cette singulière façon d'agir est relativement récente. A la connaissance des hommes, la noyade collective des lemmings n'a lieu que depuis 1920 environ.

On peut voir, dans cette étrange acquisition, une conséquence indirecte de la guerre intensive menée par les hommes contre les rapaces, et la presque disparition de ces derniers, grands consommateurs de rongeurs de toutes sortes.

N'étant plus suffisamment dévorée, l'espèce des lemmings, particulièrement robuste et prolifique, s'est multipliée et a atteint vers 1920 un niveau de rupture. La loi d'équilibre a joué, et depuis cette époque, le trop-plein de la population va régulièrement se déverser dans la mer...

D'autres rongeurs, les bobacs, qui vivent en Sibérie méridionale, ont commencé à se suicider vers 1875-1876. La date nous incline à voir là aussi une conséquence indirecte du massacre par les hommes de quelque espèce prédatrice équilibrante. Le fusil de chasse est une invention du XIXᵉ siècle. En quelques lustres, il a bouleversé profondément le règne animal. Quel amateur de bobacs a-t-il détruit en Sibérie? Le loup? Peut-être. Le bobac, nous dit Giono, qui a raconté son histoire dans *Nice-Matin* du 12 septembre 1964, est un petit rongeur « gras comme un moine ». Il vit dans les terriers « s'étendant en cités souterraines »... « D'un horizon à l'autre, le sous-sol appartient à des milliers d'animaux qui y creusent des labyrinthes infinis. »

Ce devait être là un merveilleux garde-manger pour les hordes de loups affamés. Il leur suffisait de gratter le sol et d'éventrer les terriers pour y trouver une grasse nourriture. Et, ce faisant, ils maintenaient les bobacs dans les limites voulues par... disons par la Nature.

Le loup disparu ou raréfié — si ce n'est le loup c'est donc son frère, mais cette hypothèse a au moins le mérite de la couleur locale — le bobac, protégé par son habitat souterrain contre les prédateurs moins bien armés, s'est mis à proliférer jusqu'au niveau de rupture.

Alors le trop-plein s'est mis à couler vers l'océan Glacial Arctique.

Le géographe et biologiste russe Potanine a assisté pour la première fois en 1880 au suicide des bobacs. Vingt années de suite, il est revenu accompagner leur marche joyeuse vers la mort glacée. D'autres savants ont étudié et étudient encore ce phénomène : Gustav Radde, Polakov, Albin Kohn, von Middendorf, Nordenskjöld, etc.

Voici, d'après Giono, comment cela se passe. Qu'on m'excuse de lui faire de si longs emprunts : je ne saurais raconter mieux que lui.

« ... au mois de mai, les bobacs sortent de leurs galeries souterraines. Ils se réunissent par centaines de mille, voire par millions, et se mettent en marche. Le chemin dans lequel ils s'engagent a *trois mille kilomètres de long*.

« Le premier jour du voyage, une sorte de clivage se fait entre les bobacs destinés au suicide et ceux qui doivent assurer la continuité de l'espèce. Tout le monde part, mais au crépuscule quelques millions de bobacs retournent aux labyrinthes souterrains. Comment se fait le clivage? Personne ne le sait.

« On a remarqué que la troupe destinée à se suicider est fort joyeuse. Les animaux jouent entre eux, lutinent les femelles... »

Parenthèse : au moment où paraissait l'article de Giono, les télévisions française et allemande projetaient une rétrospective de la déclaration de la guerre de 1914. Le parallélisme des deux tableaux est saisissant. Nous avons vu sur le petit écran des populations entières — française, allemande, autrichienne, russe... — partir vers les gares dans un délire de joie. On aurait pu écrire les mêmes phrases : *... la troupe destinée à se suicider est fort joyeuse. Les hommes jouent entre eux, lutinent les femmes...*

Puis le clivage se fait. Une partie de la population retourne à ses demeures. Une autre partie, toujours joyeuse, s'embarque vers la mort... Retournons aux bobacs.

Ils mettent quatre mois à franchir les trois mille kilomètres qui les séparent du lieu où ils vont mourir. Ils suivent la rive gauche de l'Ienisseï.

« ... Les bobacs marchent nuit et jour sans arrêt. Ils se nourrissent en marche, ils ne maigrissent pas, ne manifestent jamais de fatigue. Aux environs de juillet, ils sont à la hauteur de Touroukhansk. Dès qu'ils ont dépassé le confluent de la Toungouska inférieure, ils traversent l'Ienisseï pour passer sur la rive droite... A travers la toundra, ils se dirigent vers le bord occidental de la presqu'île de Taïmyr. Arrivés là, ils se jettent volontairement dans l'océan Glacial Arctique et se noient tous. »

A l'endroit où les bobacs traversent l'Ienisseï, le fleuve a plus de deux kilomètres de large.

« Ils déploient à cette occasion, dit Albin Kohn, une science de la nage aussi subtile que celle de la loutre, ils sont aussi à leur aise dans l'eau que des poissons, il ne se perd pas un seul animal pendant la traversée. »

Et voici comment Giono décrit leur comportement final, d'après Potanine :

« Ils arrivent à petits pas au bord de la mer, entrent
dans l'eau et se noient, instantanément, sans esquisser
le moindre mouvement. Bientôt la petite baie est rem-
plie de cadavres peu à peu emportés vers le large,
pendant que toute la troupe se noie, délibérément, sans
hâte et sans une seule exception.

« Ce suicide collectif dure chaque fois deux à trois
jours ou, plus exactement, de quarante-huit à soixante-
douze heures, car il n'y a pas d'arrêt, et la nuit la cérémonie continue. »

La différence du comportement des bobacs dans
l'Ienisseï et dans la mer montre bien qu'ils ne sont
pas la proie d'un réflexe d'autodestruction anarchique.
Ils ne doivent pas mourir n'importe comment n'importe où.

Ils obéissent à un ordre précis. Ils marchent vers la
mort pendant quatre mois, joyeusement, ignorant
sans doute où ils vont et pourquoi ils y vont. Comme
ils ignorent le pourquoi de ce qu'ils font quand ils
s'accouplent.

C'est bien, effectivement, un instinct du même ordre
que l'instinct de reproduction qui semble avoir surgi
pour les jeter à la mer. Il joue en sens inverse, pour la
mort au lieu de la vie, mais il se manifeste de la même
façon : un appel impératif, inéluctable, auquel on obéit
avec une joie puissante. Tous les savants qui ont étudié le suicide des bobacs sont en effet d'accord pour
constater, avec étonnement, que les millions de petits
êtres qui trottinent à travers tout un continent pour

aller se noyer y vont joyeusement, comme on va vers un but délectable. Et peut-être l'instant où ils entrent dans la mer et se donnent à la mort est-il un instant de plaisir indicible, comme l'instant où se transmet la vie.

L'instinct de vie et l'instinct de mort ne s'inhibent d'ailleurs pas l'un l'autre. Pendant leur voyage, les bobacs s'accouplent et mettent bas. Mais ils abandonnent leurs petits, car ils ne doivent pas s'arrêter.

Pendant les guerres des hommes, on voit aussi les permissionnaires venir semer des enfants, puis repartir vers la mort en abandonnant le terrain et la récolte.

L'homme ne va plus à la guerre avec joie. Il sait maintenant quel est le but de son voyage. Mais malgré sa peur de la mort, peur terrible, peur première, peur charnelle, émotionnelle et intellectuelle, peur instinctive, peur totale, malgré sa peur l'homme continue d'aller à la guerre et continuera.

Imaginez qu'une guerre éclate demain entre, par exemple, la Chine et les États-Unis, et que, la Bombe n'étant pas utilisée, ou seulement avec prudence, le conflit dure, entraînant peu à peu, inévitablement, dans un camp ou dans l'autre, le reste des nations... *Qui*, dans l'un ou dans l'autre camp, chez les capitalistes ou chez les communistes, pourrait refuser d'y prendre part?

L'individu n'est rien. L'espèce le commande. Et la loi d'équilibre commande les espèces. Pour obliger les hommes à aller se faire tuer, l'espèce a mis au point, sous des formes sociales, des moyens de contrainte auxquels il ne peut pas résister. Propagande d'abord, qui lui fera remplacer la peur de sa propre mort par l'ardent désir de provoquer celle de son semblable. Puis lorsque la réalité le frappe et efface la propagande, l'impossibilité de s'échapper du mécanisme à tuer et à mourir dont il est une pièce à la fois active et passive.

La différence entre l'homme et le bobac, c'est que le bobac ignore qu'il va mourir — du moins nous le supposons — et que l'homme ignore seulement pourquoi il meurt.

Dans l'un et dans l'autre cas, il y a mensonge. Le bobac croit aller vers une nouvelle joie alors qu'il va vers la dernière. L'homme croit mourir pour défendre sa terre, sa femme, sa liberté, ses idées, alors qu'il meurt simplement parce qu'il est de trop.

A moins que...

A moins que le bobac sache vraiment qu'il va mourir. Et qu'il soit joyeux parce qu'il sait ce qu'est la mort.

Dans ce cas, nous devrions regretter de n'être pas bobacs.

Au cours des millénaires, l'espèce humaine a mis au point et perfectionné, à la mesure des besoins, le processus d'autodestruction qui lui a permis de se débarrasser de ses individus que ne massacraient plus le loup ni la peste.

Mais l'individu humain, obstiné à survivre, ingénieux à se défendre, est devenu si résistant et si bourgeonnant que les statisticiens et les biologistes sont d'accord pour considérer que les cinq ou six cents millions de morts d'une guerre atomique partielle ne suffiraient plus à freiner l'élan vital de l'humanité et à empêcher son explosion démographique.

La loi d'équilibre sera donc sollicitée à fond et la guerre atomique, si elle éclate, risque d'être totale, détruisant toutes les formes supérieures de la vie, ou laissant subsister quelques rescapés qui seront appelés à tout recommencer.

Du point de vue de l'Auteur, de l'Organisateur, du Planificateur, ce ne serait là qu'un des moments de sa Création, pas particulièrement remarquable et ne concernant qu'un minuscule phénomène vital localisé sur un grain de poussière...

Pour l'espèce ce serait peut-être un bienfait, si l'humanité qui renaîtra des cendres est supérieure à ses ancêtres calcinés.

Mais pour les milliards d'individus de cette tranche d'évolution, appelés à servir le progrès du genre humain en grillant dans les flammes atomiques, c'est une perspective qui ne les emplira pas de la joie innocente des bobacs.

Ne peuvent-ils pas se soustraire à cet holocauste, empêcher la mise à feu, noyer la poudre?

Il faudrait vider de toute substance l'atroce mystification de la guerre, rendre évidente à tous la supercherie des prétextes capitalistes, nationalistes, ou idéologiques. Mais cela paraît difficile.

Vingt ans après la dernière tuerie, les chefs d'états ex-ennemis vont fleurir ensemble les tombeaux des victimes inconnues. Personne ne hurle, personne ne rit...

Rien ne justifie la guerre. Jamais.

Et plus elle devient meurtrière, plus les prétextes qui la déclenchent relèvent de l'insanité. Un paysan qui défendait à coups de fourche le blé qu'il avait semé avait quelque raison de tuer et de mourir. Mais nous voyons aujourd'hui l'humanité prête à s'engager dans l'engrenage de l'imbécillité totale : chaque camp est persuadé qu'il n'y a qu'une façon pour l'homme d'être heureux : la sienne. Et il est prêt à imposer ce bonheur à l'autre camp par la force, c'est-à-dire par la guerre, c'est-à-dire par la Bombe. Au nom d'un certain bonheur, chaque moitié de l'humanité est prête à détruire l'autre moitié, sachant bien qu'elle périra du même coup. Tuer tous les hommes pour les rendre heureux, telle est l'absurdité fatale, que ne refusent pas d'envisager ceux qui dirigent le monde humain. Il est bien évident que toute intelligence et toute volonté sont absentes d'une telle détermination. Ici se voit clairement la sujétion de l'espèce et de ceux qui se croient maîtres de ses destinées à des lois dont ils ne soupçonnent même pas l'existence. L'aveuglement des hommes n'est pas moindre que celui des bobacs.

En 1139, le concile du Latran fulmine contre l'arbalète et en *interdit* l'emploi entre chrétiens.

L'arbalète est adoptée par toutes les armées européennes et restera en usage jusqu'à...

... L'arquebuse à son apparition est qualifiée d' « arme diabolique », et les arquebusiers faits prisonniers sont tous exécutés.

En 1546, en France, une ordonnance royale interdit le port d'armes à feu même aux gentilshommes, sous peine d'être *saisis et étranglés sur-le-champ*, sans procès.

En 1964, le concile Vatican II fulmine contre la Bombe, et *en déconseille* l'emploi entre les hommes, chrétiens ou non.

Chaque arme nouvelle inspire une terreur nouvelle, ce qui n'empêche ni sa fabrication, ni son stockage, ni son utilisation.

On ne l'abandonne que si l'on trouve une autre arme encore plus efficace.

Il en est ainsi depuis le caillou et le bâton. Jusqu'à la Bombe et au-delà. Si au-delà il y a.

Le concile du Latran n'a pas fulminé contre la guerre.

Le concile Vatican II a estimé qu'il y a des guerres légitimes.

Nous serons bénis avant d'être grillés.

A moins que les prêtres des deux camps n'aient même pas le temps de lever leur main onctueuse...

Tant qu'on a essayé de combattre la peste avec des mots latins, elle a tranquillement dévoré l'humanité.

Dès qu'on a connu et *admis* ses causes véritables, on a pu mettre au point des armes contre les microbes et développer contre la maladie un combat efficace parce qu'approprié.

Tant qu'on continuera d'ignorer les causes véritables de la guerre, aucun traité, aucune alliance, aucune peur, ne pourront l'empêcher d'éclater et de brûler le monde en totalité ou en partie.

Les guerres nationalistes ne sont pas causées par les nationalismes.

Les guerres de conquêtes ne sont pas causées par le désir de domination.

Les guerres idéologiques ne sont pas causées par les conflits d'idées.

Les guerres économiques ne sont pas causées par des besoins d'expansion ou de conquêtes des marchés.

Ces causes-là et quelques autres ne sont pas les causes véritables des guerres, mais seulement leur *occasion*.

Il n'y a d'ailleurs pas *des* guerres, mais seulement *la* guerre, comme il y a *la* mort.

Comme la mort, *la guerre est un phénomène biologique.*

C'est seulement lorsqu'on aura reconnu et admis sa véritable nature qu'il sera possible d'en étudier, atténuer, raréfier, et peut-être empêcher les manifestations.

La guerre est un processus d'automutilation déclenché au sein de l'espèce humaine par la violation de la loi d'équilibre du monde vivant.

Ni la loi ni l'espèce ne se soucient des individus.

Mais ce sont les individus qui vont griller.

C'est donc aux individus à se défendre contre l'espèce et contre la loi. Il ne s'agit pas pour eux de se révolter, ce qui serait une absurdité. On ne se révolte pas contre des lois naturelles. On ne se révolte pas, par exemple, contre la gravité.

On la domine en lui obéissant.

Et cela permet à l'homme de se dresser, de se tenir en équilibre, de marcher, et de s'inventer des ailes.

Je suis emporté par le mouvement de l'espèce humaine comme un globule rouge par le circuit du sang à travers mes tissus. L'espèce est emportée par le mouvement du monde vivant et subit sa loi, comme mon sang est emporté par mon corps, combat pour son existence, pâtit de ses mécomptes, et considéré hors de lui n'est plus rien.

L'homme s'il veut se sauver, sauver son espèce, doit retrouver la signification et la raison de son existence dans le grand corps de la vie.

Quelle est la fonction de l'espèce humaine dans le corps du vivant?

Sommes-nous le sang, le foie, le tube digestif, le lieu privilégié où se sécrète l'esprit, ou le canal à déchets?

En inventant des outils et des machines, l'homme s'est doté de moyens que la Nature, ou le Planificateur, n'avait pas jugé nécessaire de lui octroyer au départ. Il était peut-être prévu dans le plan qu'il se ferait pousser ces prolongements. Peut-être pas. Il semble bien que l'espèce humaine, ayant fait éclater le cadre de sa fonction, se soit mise à vivre pour elle-même, aux dépens de l'organisme qu'elle devait servir.

Elle se développe aujourd'hui monstrueusement, comme un cancer, et, comme lui, est sur le point de faire périr le corps sur lequel elle prolifère en l'épuisant. Et de périr avec.

Si elle ne périt pas, si le vivant subsiste, du moins se sera-t-il amputé des cellules anarchiques et l'homme rescapé, nu et désarmé, se retrouvera inséré à sa juste place, comme au temps de sa création.

Il y a peut-être, il y a certainement un moyen d'éviter ce grand saignement, cette opération à tous cœurs ouverts.

L'homme-outil-machine n'est sans doute pas, en soi, une faute ou une erreur, un crime contre le vivant. Son erreur et son crime, c'est d'utiliser ses mains, ses outils, son intelligence en dehors de sa fonction, pour le seul développement matériel mathématique de l'espèce, sans harmonie ni équilibre de celle-ci en elle-même ni avec les autres parties du monde vivant. C'est la caractéristique même de la prolifération cancéreuse.

L'homme peut retrouver une chance de vivre en réintégrant sa fonction. Ce qui ne signifie pas qu'il doive sacrifier les prolongements techniques qu'il a greffés sur sa chair nue, mais les mettre, comme lui-même, au service de l'équilibre et de l'harmonie de l'Univers.

Mais pour réintégrer sa fonction, il faudrait qu'il la connût.

Qui lui dira quelle est sa place dans la Création, entre quels autres rouages du monde s'insère le cycle de sa vie et de sa mort? Qui lui dira ce qu'il est et pourquoi il est?

Le prêtre.

Le prêtre est là pour ça.

Le prêtre est l'intermédiaire entre le Créateur et sa créature humaine.

Le prêtre connaît les secrets de la Création, son architecture et son fonctionnement.

Le prêtre prend l'homme par la main, lui explique pourquoi il a été créé, quel rôle il doit jouer dans l'Univers côte à côte avec ses frères animés et inanimés, et conduit ses pas sur le chemin qui mène à la connaissance et à la compréhension.

Quel prêtre? Où est ce prêtre? Que nous courions à lui!

Pauvres petits curés joueurs de ballon, pauvres pasteurs bêlants, que sont-ils capables d'expliquer, eux qui non seulement ignorent tout du Créateur et de la Création, mais ne comprennent rien à la créature?

Un vieux curé qui a entendu pendant quarante ans tous les engrenages grincer et craquer dans son confessionnal commence à savoir ce qu'est la machine humaine. Mais quand on l'a posé tout neuf, tout jeune, tout ignorant de tout, à la tête d'une paroisse, que savait-il de la souffrance, de l'envie, de la haine, de l'amour, du désir, de lui-même et des autres?

Pauvre jeune curé perdu, éperdu, il lui restait la ressource de panser les plaies qu'on lui tendait avec la seule médication dont il disposât : son amour. Puis de se cacher la tête dans le sable de la prière...

Le pasteur, lui, propose à ses fidèles un Dieu qui les dépasse à peine, avec lequel ils peuvent s'expliquer d'homme à homme, et qui comprend très bien les bonnes raisons qu'ils ont de nuire vertueusement à leur prochain. Le Dieu des protestants, c'est le Fils plutôt que le Père, c'est Jésus l'Homme-Dieu, beaucoup plus homme que dieu, sérieux, grave, compréhensif. Il a pour chacun la complaisance que chacun a pour soi-même. Il n'est sévère que pour le voisin.

Celui des catholiques, c'est le bon Dieu, le grand-père un peu gâteux qui distribue à ses petits-enfants des sucettes ou des réprimandes : « Tu vas voir ce qui va t'arriver si tu n'es pas sage. » Mais quand nous serons morts, il nous pardonnera toutes nos sottises et nous accueillera dans sa maison de campagne.

Voilà, voilà ce qu'offre aujourd'hui la religion chrétienne à ses fidèles. Voilà la puérile réponse proposée à notre angoisse, à notre besoin de savoir. Voilà ce qui nous est donné pour apaiser notre faim : un papier froissé qui a contenu des nourritures et qui ne porte plus que le nom du marchand.

Entre la constitution du monde vivant et son fonctionnement, entre les merveilles dont il est fait et l'horreur pour laquelle il semble avoir été fait, il y a une contradiction suffocante.

Notre esprit refuse l'idée que voudrait lui imposer l'apparence : que tant de prodiges aient été conçus, créés et assemblés dans le seul but d'accumuler la souffrance et de perpétuer l'assassinat.

Nous ne pouvons pas croire que le cercle abominable de la vie, fermée sur sa mortelle et perpétuelle blessure, puisse être un but satisfaisant pour l'inventeur de l'oreille et de la marguerite.

Il ne suffit pas, pour nous rendre l'horreur supportable, que l'Église nous propose de faire entrer Dieu lui-même dans le cercle, Dieu se réduisant à la condition de l'homme, acceptant de souffrir de la souffrance des vivants, de mourir de leur mort, d'être comme eux assassiné, et tous les jours à la messe mangé, comme l'agneau et la laitue. *La mort de Dieu ne rachète pas celle de l'agneau.*

Son sacrifice ne fait qu'ajouter à la déraison du

système. Le Créateur sadique devient, en plus, masochiste, et toute sa construction nous apparaît comme un monument d'absurdité.

Or l'intelligence ne peut pas être absurde. L'intelligence ne peut pas être cruelle. L'association cruauté-intelligence est une fiction de basse littérature.

Le méchant, si brillant, si futé soit-il, n'est jamais qu'un imbécile. Le prototype de la cruauté, le Diable, est nommé à travers les siècles le Malin. Jamais l'Intelligent. L'Intelligent, c'est Dieu. Il y a donc, à la cruauté et absurdité du monde vivant, une raison qui nous échappe. Mais toutes les raisons du monde nous échappent. Nous ne connaissons le pourquoi de rien.

Dieu n'est pas bon non plus. Il suffit de jeter un coup d'œil sur le monde pour se rendre à l'évidence. C'est la contradiction entre cette évidence et le bon Dieu vanté par des propagandistes puérils qui multiplie les incroyants.

Le bon Dieu vide les églises, car nul ne peut y croire.

Le Dieu des Juifs, le furieux Jéhovah, ce Moloch vindicatif dont il fallait chatouiller les narines avec le parfum de l'agneau grillé, était une figuration plus logique de la divinité organisatrice de nos jeux sanglants.

Mais cruel, bon, ce sont là des qualifications humaines. Dieu n'est que l'image de Quelque Chose, Principe, Force, Idée, Esprit, Volonté, que nous ne pouvons concevoir ni nommer. Nous devons nous garder de peindre cette image aux couleurs de notre petite aquarelle humaine. Les maux dont Jéhovah accable le peuple juif parce que celui-ci manque à l'adorer, sont sans doute la représentation des sanctions qui ne peuvent manquer de frapper l'homme qui s'écarte de l'équilibre des lois de l'Univers. Qui penche trop, un peu trop, juste un petit peu trop, fatalement tombe. C'est vrai aussi bien pour l'espèce que pour l'individu.

La pesanteur ne pardonne pas au déséquilibre.

Par contre, la mansuétude de Jéhovah devenu chrétien indique qu'il suffit de se redresser, même au dernier moment, pour ne pas tomber.

La pesanteur aide l'équilibre.

Si Dieu avait eu besoin d'être adoré, il n'eût créé que des chiens. Le chien est bien plus apte que l'homme à l'amour. Un chien affamé, battu, jeté à l'eau par son maître, s'il en réchappe reviendra gémir d'amour à ses pieds. Voilà bien le fidèle tel que le rêvent les Églises.

Que ce fidèle brûle vraiment d'amour, sans motif égoïste, sans souci de son coin de Paradis, sans peur de la mort, pour une vague entité qu'il nomme Dieu, cela ne peut être qu'excellent pour lui. Il est *toujours bon d'aimer.*

Mais ce Dieu qu'il adore n'est qu'une création de son esprit enfantin qui cherche désespérément à se raccrocher à la main de papa.

Quant à Ce-Que-Nous-Nommons-Dieu faute de savoir comment nommer Cela, un nom étant une définition, et ce qui n'est pas connu ne pouvant être défini, il est bien évident que Cela n'est ni sentimental, ni vindicatif, ni bon, ni mauvais, ni quoi que ce soit qui puisse faire penser à une qualification, c'est-à-dire à une limitation.

L'adoration de Dieu que les religions recommandent, c'est l'intégration totale et à tout instant dans l'ordre et l'équilibre de la Création. Tout ce qui n'est pas l'homme y participe passivement. L'homme ayant été doté d'une conscience embryonnaire a la possibilité d'y participer volontairement. Ou de s'en détourner au risque de sa chute.

Tel est peut-être le sens du péché originel : du fait même de son origine, du fait même qu'il est ce qu'il est, du fait même qu'il est tel qu'il est, l'homme peut choisir entre faire bien et faire mal.

Il ne s'agit pas, bien entendu, du bien et du mal selon telle ou telle morale, chrétienne ou papoue.

Il s'agit de l'action bonne ou mauvaise parce qu'elle est ou non dans l'ordre de la Création.

Mais l'homme d'aujourd'hui n'a plus le choix, car il ne sait plus où est le bien. On lui propose des « biens » divers, moraux, politiques, légaux, sociaux, familiaux, religieux, mais le bien essentiel lui échappe, il en ignore même l'existence. Il ne peut plus collaborer à l'ordre de la Création parce qu'il ignore cet ordre et sa place dans cet ordre. Et il crée le désordre par le fait même qu'il existe sans participer à l'ordre.

Les dieux des religions sont des images symboliques de la Vérité.

Les livres sacrés nous disent avec beaucoup de détails, et cent fois plutôt qu'une, ce qu'est le Créateur, comment il a créé, quels sont ses rapports avec sa création, ses raisons de créer, ce que sont pour lui ses créatures et quelle est la place de chacune au sein du tout.

Mais cela nous est raconté dans un langage symbolique et la plus grande erreur qu'on puisse faire est de s'en tenir à la lettre.

Quant à la signification des symboles, elle a ceci de particulier qu'elle paraît évidente quand on la connaît, mais qu'elle est très difficile sinon impossible à deviner quand on en ignore tout.

Chaque symbole, d'autre part, peut être interprété de nombreuses façons, et chacune de ces significations est parfaitement vraie, du point de vue d'où l'on s'est placé pour la lire dans l'image.

Parmi toutes les significations d'un symbole il en est une dont découlent toutes les autres, et qui rend lisibles les symboles voisins.

C'est l'ensemble de ces significations premières qu'il faut connaître pour lire « à livre ouvert » les textes sacrés. Sans elle, ils nous restent fermés.

Cela ne signifie pas que les faits qu'ils nous racontent soient des fables. Tout événement historique, toute vie, tout geste, tout chemin, tout brin d'herbe, tout caillou, par sa forme et par sa place dans le temps et dans l'espace, signifie quelque chose de plus que ce qu'il est, et peut être lu.

Mais pour savoir lire, il faut avoir appris.

Qui sont les maîtres de cet enseignement?

Les prêtres.

Les prêtres sont là pour ça.

Les prêtres ont reçu la clé de l'alphabet et la mission de la transmettre.

Malheureusement, ils l'ont perdue en chemin.

Une religion est comme un enfant que son père a envoyé porter un message à l'autre bout de la ville. Pour ne pas l'oublier, pour ne pas se tromper, l'enfant a appris le message par cœur et l'a répété mille fois en chemin. Peu à peu le message a pris le rythme de sa respiration, de ses pas, a perdu ses points, ses virgules, ses mots, et quand il est enfin délivré à son destinataire par la bouche qui l'a moulu tout le long de la route, il n'est plus qu'une suite de syllabes sans articulation ni signification.

Tout y est pourtant. Il suffit peut-être de bien écouter pour retrouver les mots et la phrase. Ce n'est peut-être pas impossible.

Toutes les religions du monde nous racontent, à des détails près, la même histoire, comme si l'humanité tout entière avait bénéficié, à un moment de son existence, de la même connaissance et des mêmes certitudes. Jusqu'au moment de la confusion et de l'éclatement dont la Bible nous fait une relation imagée dans l'épisode de la tour de Babel.

« Bâtissons une ville et une tour dont le sommet pénètre les cieux. »

Cette phrase de la Genèse résume sans doute une longue évolution de l'humanité et une tentative pour atteindre — par quelle technique? — un « état » supérieur à celui qu'occupe l'espèce humaine dans l'échelle naturelle. Était-ce sur le plan matériel, sur le plan biologique ou sur le plan spirituel que nos ancêtres se proposaient de « pénétrer les cieux »? Rien ne nous l'indique. On nous dit seulement qu'ils formaient un seul peuple, et qu'ils parlaient la même langue. Cela signifie sans doute qu'ils bénéficiaient tous de la même connaissance.

On nous dit également que leur tentative pouvait réussir. Car Yahvé lui-même, qui est l'Ordredes-choses, remarque à leur propos : « Maintenant aucun dessein ne sera irréalisable pour eux. »

Mais ils durent, dans leur hâte ou leur ambition, oublier leur condition humaine et violer des lois essentielles.

Ce n'est qu'en emportant de l'air et de la nourriture, qu'en se protégeant contre le froid, la chaleur, les rayons, les chocs, la fatigue, le silence, la lumière, *contre toutes les conditions inhumaines,* que les astronautes pourront s'arracher à leur habitat humain et atteindre les planètes. Dans le domaine spirituel, il est probable qu'il en est de même, et que l'homme, pour devenir plus qu'un homme, doit prendre garde à ne pas oublier qu'il est un homme.

On nous dit enfin que les lois violées, qu'elles fussent physiques, biologiques ou spirituelles, provoquèrent immédiatement la sanction : « Descendons ! » dit Yahvé.

Ce « Descendons ! » est terrible. On croit entendre la voix même de la Loi Unique de l'Univers, celle que cherchait Einstein, celle de la pesanteur générale qui fait tomber Icare et les galaxies.

« Descendons ! Et là confondons leur langage pour qu'ils ne s'entendent plus les uns les autres. »

Révolution ? Guerre civile ? Ou lente décadence ? En tout cas, la civilisation qui avait dressé ce projet vers le ciel vit son organisation sociale se briser ou pourrir, sa cohésion se dissoudre et ses cellules se répandre vers les horizons.

« Yahvé les dispersa de là sur toute la surface de la Terre. »

Chaque morceau de l'humanité dispersée, chaque peuple et chaque nation, on peut même dire chaque homme, se mit à parler son propre langage et à ne plus rien entendre à celui du voisin. La langue première, celle qui signifiait la Vérité, fut oubliée. Le Verbe, qui était désignation, ne fut plus qu'excrétion.

Regardez deux ou trois femmes assises autour d'une théière, ou debout devant un étal au marché. Chacune, l'œil fixe, le souffle court, raconte, raconte, raconte son histoire et n'entend pas un mot de celles qu'on lui dit. Il lui chaut peu d'entendre ou d'être entendue. Il lui faut parler pour se sentir vivante. C'est tout. Il en est de même à l'O.N.U.

Mais dans chaque fragment de l'espèce humaine subsiste la vague nostalgie de la connaissance perdue qui permettait de « pénétrer » les cieux. De même que subsistent dans les racines communes des langues les plus diverses les racines essentielles de la langue de l'unité.

Il semble que la connaissance ne fut pas totalement oubliée, et qu'elle continua de se transmettre par tradition orale, dans des cercles fermés autour desquels bourgeonnèrent les religions. Par leurs livres, leurs dogmes, leurs rites, l'architecture de leurs temples, les religions exposaient la vérité sous la forme très claire et très incompréhensible des symboles. A l'intérieur de cette façade, les clergés se transmettaient le vrai savoir de génération en génération.

Pourquoi cette volonté d'ésotérisme? Sans doute parce que ceux qui détenaient la connaissance estimaient qu'elle ne pouvait pas être comprise et assimi-

143

lée par la masse de la nouvelle humanité. C'est possible. Tout le monde n'est pas capable, par exemple, de comprendre la physique quantique ou de devenir polytechnicien. *Mais tout le monde peut le tenter.* On n'a pas fait un mystère de l'enseignement des mathématiques. Chacun commence par comprendre que deux et deux font quatre, et ceux qui ne peuvent pas en comprendre davantage s'arrêtent, et ceux qui peuvent aller au-delà continuent et deviennent comptables, ou ingénieurs, ou Nobel.

Mais celui qui s'est arrêté à deux et deux sait que les mathématiques vont plus loin et que la voie sur laquelle il a été obligé de renoncer, et où d'autres ont avancé plus que lui, n'est pas un Luna-Park hanté par des fantômes barbus.

Parce qu'on ne lui a pas fait un secret de ce qu'il ne pouvait comprendre, parce qu'on n'a pas essayé de lui faire avaler les théorèmes sous forme de fables, parce qu'on ne lui a pas demandé d'adorer un Père Logarithme installé sur un nuage, il n'est pas tenté de nier ce qu'il est incapable de connaître. Il croit aux mathématiques justement parce qu'il les a affrontées, et malgré son peu d'avancement dans leur connaissance il s'en sert quand même de son mieux quand il fait son marché ou joue à la belote. Franchissant le pont de Tancarville, il n'éprouvera pas la jouissance profonde d'un ingénieur des T. P., à qui un seul coup d'œil aura suffi pour apprécier le chef-d'œuvre mathématique en même temps que la réussite esthétique, mais cela ne l'empêchera pas de l'utiliser, de le trouver superbe et de savoir calculer le temps et l'essence qu'il lui fait économiser. Les mathématiques font partie de ses connaissances, de ses actes et de ses sentiments, à la mesure de sa faculté de les comprendre. Mais il sait qu'elles existent au-delà de sa compréhension.

Si les religions avaient joué leur rôle, il en serait de même dans la compréhension de Dieu. Chacun de nous en saurait autant qu'il serait capable de savoir.

Je crois de tout mon instinct, de toute ma raison, je suis profondément convaincu, dans mon esprit et dans l'équilibre de ma machine charnelle, que *la vérité de Dieu n'est pas plus mystérieuse que la vérité scientifique.*

Mais nous sommes intoxiqués par les fumées d'encens dressées comme un rideau stratégique entre Dieu et les hommes.

Nous sommes tous iconolâtres ou iconoclastes, même ceux d'entre nous qui de toute leur bonne volonté intellectuelle s'efforcent de nettoyer l'idée de Dieu des divers conditionnements dans lesquels elle a été emballée par les civilisations qui nous ont faits ce que nous sommes. On rencontre le mot « Dieu » et aussitôt le réflexe joue, pour ou contre : nous ne parvenons pas à nous débarrasser, ni à le débarrasser de l'idolâtrie.

C'est que, depuis des millénaires, l'intelligence est tenue hors des temples. Depuis des millénaires, les religions demandent aux hommes de *croire,* sans savoir. La seule forme de connaissance qui leur est permise est la connaissance intuitive, l'illumination intérieure. C'est beaucoup leur demander. Pascal a connu les mathématiques sans avoir à les apprendre. Il en fut de même de la musique pour Mozart. Mais combien de Pascal, combien de Mozart a compté l'humanité dans la connaissance des mathématiques ou de la musique ou dans celle de Dieu?

Aux autres, aux immenses foules qui apportent dans les temples la souffrance perpétuelle des hommes perdus, il n'est laissé aucune chance de trouver le chemin. Les rites, les formes, les gestes et les mots qui auraient pu les conduire vers Dieu les emmènent dans l'impasse de l'adoration et de la peur. Il n'y a plus personne pour leur enseigner le sens véritable de ce qui leur est dit, de ce qui leur est montré, de ce qui leur est demandé. Au cours du temps, ceux qui avaient pour mission de se transmettre la vérité, à force de s'exprimer par images, ont fini par croire à ces images incroyables et ne savent plus que demander à leurs fidèles d'y croire aussi. La connaissance trop bien cachée a péri étouffée par sa cachette. Mais peut-être n'est-il pas impossible de lui rendre la vie, peut-être est-il encore temps de déblayer les décombres, de percer les murailles, de sortir au grand air la Vérité évanouie et de tenter le bouche à bouche...

S'il est vrai qu'il y eut un temps de la Connaissance, comment celle-ci parvint-elle à l'homme? Qui lui fit connaître ce qui est et ce qu'il est? Tout ce qu'il a oublié depuis?

La plupart des traditions parlent d'une Révélation. C'est-à-dire d'un message transmettant directement le savoir du principe créateur à l'esprit de la créature.

Comment faut-il imaginer cette transmission?

Zeus tonne dans les nuées, Yahvé parle dans un buisson ardent, ou au sommet du Sinaï, Jésus parle sur la montagne ou au bord de l'eau, Bouddha parle sous un arbre...

C'est une image familière à tous les enseignements religieux, une image qu'il faut bien se garder d'accepter dans la simplicité où elle nous est offerte, ni de rejeter à cause de cette simplicité.

Dieu parle dans le buisson, sur la montagne, au bord du fleuve, du fond des cieux... : Dieu parle dans sa création.

Le message de ce-qui-crée à ce-qui-est-créé, c'est la Création elle-même, c'est la créature. La Révélation, c'est l'acte créateur. *Ce qui est fait est par là même montré.* Cela semble évident : toute la vérité du monde, c'est le monde. Toute la vérité de l'homme, c'est l'homme. Le message est en nous et autour de nous. Il suffit de le déchiffrer.

Mais nous sommes comme des enfants devant un livre : nous le voyons, nous le feuilletons, nous le parcourons, mais nous ne savons pas ce qu'il raconte, car il n'y a plus personne pour nous apprendre à lire.

Enragés par notre ignorance, nous avons tant examiné, comparé, analysé les signes de l'écriture que nous sommes parvenus à identifier les lettres, à reconnaître les mots, mais en ignorant toujours ce qu'ils signifient. Nous avons accumulé le vocabulaire, dégagé les lois de la syntaxe du monde. Nous sommes capables de construire des phrases correctes, bientôt des chapitres entiers de la Création. Mais nous utilisons les mots et les assemblons sans connaître le sens du plus simple d'entre eux.

La Révélation est inséparable de la Création, et la Création est un phénomène total et continu.

Le premier jour n'en finit pas. Nous y sommes encore, à l'aube. Et en même temps au crépuscule du septième. Ce qui est successif est en même temps simultané. Cela nous paraît contradictoire parce que notre esprit n'est pas fait pour embrasser le temps dans son étendue, mais seulement dans son écoulement. De même que notre corps ne peut se déplacer à la fois que dans une seule direction de l'espace. Ce qui n'empêche pas les autres d'exister.

La Création est d'aujourd'hui. La Révélation aussi. Tout est fait à chaque instant. Et tout nous est dit et répété perpétuellement. Mais nous n'entendons plus.

Le temps de la connaissance fut celui où tous les hommes entendaient.

Puis vint le temps de la foi, où ceux qui entendaient encore demandaient à ceux qui n'entendaient plus de leur faire confiance et de croire.

Aujourd'hui est le temps de la confusion. Personne n'entend plus rien, et tout le monde croit n'importe quoi.

Il faut que vienne le temps de l'évidence. Dieu doit nous être montré comme deux et deux font quatre.

Le savant anglais Fred Hoyle fit scandale, il y a quelques années, en proposant un nouveau modèle de l'Univers. D'après lui, la création était permanente, l'atome d'hydrogène surgissait partout, et à tout instant, du néant. L'atome d'hydrogène étant en quelque sorte le matériau de base de la matière, l'Univers se construisait constamment, à partir de rien. Au moment où le monde savant commençait à se faire à cette idée, Hoyle lui-même y renonça, certains phénomènes cosmiques récemment connus lui semblant l'infirmer. Il n'est pas impossible que lui ou un autre la reprenne demain, ni que lui ou un autre ne parvienne à prouver cette hypothèse, ou une autre. Cela ne concernera jamais qu'un grain d'espace : ces quelques milliards d'années-lumière au bout de nos deux bras. Ce n'est pas plus grand que notre maison, pas plus grand que notre poche.

L'Univers tout entier, l'Univers de partout, dont notre pensée, d'une centaine de milliards d'années-lumière à une autre, n'occupe qu'un grain de poussière, l'Univers total a commencé au commencement.

Il faudrait ici un mot qui signifie ce-qui-n'a-pas-de-temps, comme le mot *point* signifie, géométriquement, ce-qui-n'a-pas-d'espace.

Au commencement, de ce-qui-n'a-pas-de-temps le temps sortit et se mit à couler vers le passé et l'avenir. A cause de ce temps, nous pouvons nous demander ce qu'il y avait avant ce commencement, car pour l'esprit humain, qui vit dans le temps, il y a toujours un *avant*. Mais le temps a commencé au commencement. *Avant le commencement du temps il n'y avait pas d'avant.*

Dieu est ce qui est sans commencement. Une vérité n'a pas de commencement. Deux et deux font quatre. C'est une vérité. Elle est vraie avant les commencements et après que tout est fini.

Après le commencement, il y a eu l'avant et l'après, il y a eu le temps et l'espace et l'Univers qui les occupe.

L'Univers est partout, mais il tend à occuper l'infini qui ne peut être empli puisqu'il est infini. L'Univers est donc en état d'expansion. Chacun de ses points s'éloigne de tout autre point à une vitesse constante.

Si l'on prend un de ces points comme centre, et si on le considère comme étant immobile, à partir de lui et dans toutes les directions les vitesses constantes s'ajoutent pour construire une vitesse accélérée. Les astrophysiciens connaissent bien ce phénomène et l'ont même chiffré. Les plus lointaines galaxies récemment découvertes à des distances inimaginables s'éloignent de nous à une vitesse qui approche la vitesse de la lumière. Lorsqu'elles l'atteindront, plus rien, ni la lumière ni aucune sorte d'onde émanant d'elles ne pourra nous atteindre. Elles disparaîtront de notre monde, sortiront de notre univers, ne nous seront plus perceptibles d'aucune façon.

Pratiquement, pour nous, elles entreront dans le néant. Elles devraient même y entrer d'une façon totale en se résolvant en énergie, si l'on se réfère aux formules d'Einstein. Mais il faudrait pour cela que la vitesse fût un phénomène absolu. Or, ce n'est qu'une notion relative. La vitesse « en soi » n'existe pas. La vitesse d'un objet dans l'Univers n'existe et ne peut être mesurée et définie que par rapport à un autre objet. Et réciproquement. On peut dire, par exemple, qu'une fusée quitte la Terre à une vitesse V. On peut considérer aussi que la fusée est immobile et que c'est la Terre qui s'éloigne d'elle à la vitesse V. Et tout l'Univers qui accélère autour de la fusée. Ce qui rend absurde dans ses données le fameux paradoxe de Langevin et explique l'absurdité de ses conclusions.

Si nous considérons la Terre comme centre de l'Univers, ce à quoi nous sommes facilement enclins, à des milliards d'années-lumière de ce livre et de vos mains, à l'instant précis où vous lisez ces lignes, une galaxie ayant atteint par rapport à vous la vitesse de la lumière sort de votre monde et entre dans le néant.

Mais cette galaxie est, elle aussi, un centre de l'Univers et pour elle en cet instant c'est vous et moi, et la Terre, le Soleil et la Voie lactée qui atteignons la vitesse limite et nous anéantissons...

Et à mi-chemin entre elle et nous, il existe un autre

centre de qui elle et nous nous éloignons à une vitesse égale, et qui s'éloigne d'elle et s'éloigne de nous à la même vitesse, mais dans des directions opposées... Nous voyons ce point se diriger vers la galaxie extrême, et la galaxie extrême le voit se diriger vers nous. Et les points qui sont à sa droite le voient s'éloigner vers la gauche, et ceux qui sont à gauche le voient fuir vers la droite, et ceux qui sont au-dessous le voient s'élever, et ceux qui sont au-dessus le voient tomber. Et tous ces mouvements sont réels.

Chaque point de l'Univers est en même temps immobile et animé de toutes les vitesses dans toutes les directions.

L'Univers est immobile en chacun de ses points et en expansion dans sa totalité. Il occupe déjà tous les points qu'il atteint dans son expansion. Il occupe tout l'espace et pourtant ne cesse de se dilater. S'il demeurait immobile, c'est qu'il serait enfermé dans des limites, et l'infini n'en a pas. L'Univers illimité occupe l'infini mais ne l'emplit pas. Rien ne saurait emplir l'infini. Se dilatant sans cesse pendant l'éternité, l'Univers n'atteindra jamais ses propres extrémités car il est déjà partout.

Il a été créé au commencement, mais le commencement est permanent. Il est matière, énergie, espace et temps. De l'électron à la marguerite, du caillou à la galaxie, il est *notre* Univers, celui qui tombe sous nos sens naturels ou prolongés et dont notre esprit peut saisir un fragment. Il est l'évidence qui nous est montrée.

Chaque parcelle de l'Univers, du microcosme au macrocosme, est un mot du message. Les relations des mots entre eux, des atomes et des molécules, des feuilles avec les fruits et les racines, du sang et des os, de la pesanteur et de la chute, du mangeur et du mangé, des étoiles et des Voies lactées, composent une signification totale que nous ne savons plus déchiffrer, ni dans ses détails, ni dans l'équilibre de ses parties, ni dans la grande et simple évidence de son tout.

La lecture d'un brin d'herbe, d'une poignée de terre, d'une foule, d'un petit chat, des étoiles de l'été, devrait nous introduire très simplement et très profondément dans la Connaissance. L'Univers est un livre qui s'écrit sans cesse en pleine clarté. L'homme est un mot, une phrase, un chapitre de ce livre, mais il ne sait plus lire ni en lui-même ni dans les autres pages. Par son corps animal, il continue de faire absolument partie du grand fleuve de la création. Il est une goutte dans le courant, traversé par lui et lié à lui dans sa mobilité. Il est dedans, par toutes ses cellules. Mais par la pensée il a cru s'arracher à cette dépendance, explorer le fleuve à sa guise. Il a perdu le sens du courant. Il continue à être emporté, mais il ne sait plus où il va.

Il a inventé de nouvelles écritures qui lui ont fait oublier celle de l'Univers. Il a élaboré des sciences qui lui ont fait perdre le savoir. Toute son attention est appliquée à l'apparence des choses et néglige leur signification. Il est comme un enfant curieux qui suit avec le doigt le contour des lettres, et qui ne sait pas lire. Il s'est mis à faire l'inventaire de ce qui est, et ne sait plus pourquoi cela est.

Que tous les atomes d'hydrogène aient été créés au Commencement ou qu'ils continuent à être créés sans cesse et partout, qu'ils sortent du néant ou que les particules qui les composent soient une forme donnée à une matière première éternelle extemporelle et sans étendue, quels que soient donc les mystères de leur origine et de leur gestation, les atomes d'hydrogène sont les briques avec lesquelles notre Univers est construit. Toute la matière sort de l'hydrogène : les étoiles brûlantes, les planètes minérales, les Terres avec leurs eaux et leurs terres. Et la petite cellule qui se met à vivre plonge une racine dans la terre de la Terre et devient arbre.

Le rien se transforme et devient atome.

L'atome se transforme et devient la matière.

La matière se transforme et devient la vie.

Les racines de l'arbre mangent la terre et la matière inerte devient matière vivante, fleurs, sève, parfums.

La bête mange la plante, mange la graine et la feuille de l'arbre, et la matière devient aile, sang, œil.

L'homme mange la plante et la chair de la bête, et la matière devient pensée.

Quelle est la suite?

QUI?

Qui se nourrit de l'homme? Que deviennent nos joies, nos amours digérées?

Devenu un adulte qui raisonne, l'homme d'aujour-
d'hui ne peut plus *croire* au Dieu infantile qu'on lui
propose. Et il ne sait plus ce qu'était la signification
réelle du Nom.

Ayant perdu le sens de l'architecture de la Création,
de la place qu'il y occupe et de la tâche qu'il y accom-
plit en vivant, l'homme cherche éperdument une
raison d'être. Il regarde autour de lui, mais il n'aper-
çoit qu'un mélange d'horreurs et de merveilles sans
ordre ni justification. Peut-être lui serait-il possible
de lire dans ce brouillard de sang et d'or. Mais il a
perdu le code. Tout lui semble incohérent, la souffrance inexpiable, les merveilles inutiles.

Il ne lui reste qu'une certitude : lui-même.

Il a une conscience confuse de son existence cor-
porelle et mentale. Il ignore presque tout de lui, mais
il *se sent vivre.*

Il se respire, il se digère, il se touche, il se saigne. Il
sait, il croit savoir, que cela qui est lui, cela qui jouit
et qui souffre, cela au moins existe depuis son commencement jusqu'à sa fin.

Alors il se met à croire en lui-même.

Cela ne mène pas loin : jusqu'à sa mort.

C'est dans cette impasse que l'homme d'aujourd'hui est engagé. Le nez contre le mur du fond. Et les ongles usés, les doigts saignants à essayer de grimper par-dessus ou d'y faire un trou.

C'est mieux que le désespoir. Et peut-être le mur du fond n'est-il pas infranchissable. L'impasse peut devenir le début d'une voie.

Nous sommes les occupants de cet espace et de ce temps. Nous y vivons, nous y accomplissons notre tâche sans en sortir. Nous sommes les ouvriers, manœuvres, ingénieurs, d'une usine sans porte. Nous avons toujours été à l'intérieur. Nous y sommes nés. Nous ne savons pas comment elle a été construite. Ni par qui ni pourquoi. Et nous ignorons ce qu'elle fabrique.

Pour essayer d'améliorer notre sort, nous détournons des machines de leur tâche première, nous en détruisons certaines et en fabriquons d'autres, provoquant des incidents et des perturbations, sans savoir quelle sera leur répercussion sur l'ensemble du mécanisme et sur son produit final. Ce qui importe, c'est que nous obtenions des produits à notre usage, pour nous en vêtir, nous en nourrir ou nous asseoir dessus. Ce faisant, nous avons pris peu à peu la passion de la mécanique. Et nous voulons absolument savoir *comment* l'usine fonctionne. Peu nous importe *pourquoi*. Ce sont les moyens qui nous intéressent. Et non la fin.

Dans des écoles sévères, nous élevons des spécialistes qui sont chargés de faire l'inventaire total de l'usine. Chacun dans son domaine, ils comptent les volants, les pistons, les pignons, les boulons, les presses, les tours, les axes, les cylindres, les soupapes, les turbines, mesurent le pas de vis de l'écrou qui tient le manche de la balayette, pistent la câblerie, notent des relations constantes de cause à effet dont ils tirent les lois de fonctionnement de la machinerie : si on freine le rotor il va moins vite, ce qui passe au marteau-pilon est aplati, etc. Ils donnent un nom à chaque vis, notent ses dimensions et son poids sur une fiche, son emplacement sur un plan, ses ressemblances ou ses différences avec d'autres vis sur un arbre évolutionniste, analysent son métal, scrutent ses molécules, fabriquent de monstrueuses machines pour essayer de produire des molécules semblables et peut-être, avec énormément d'intelligence, d'efforts, de chance, et des moyens matériels considérables, une vis tout entière... D'où vient l'énergie qui fait fonctionner l'usine? Ils ne peuvent pas nous le dire et peu nous importe, puisqu'ils nous ont appris comment l'utiliser pour nos petits besoins.

Que produit l'usine? Ce n'est pas notre souci. Nous savons de mieux en mieux comment les machines sont assemblées et comment elles fonctionnent, et nous en sommes de plus en plus satisfaits. Peu importe ce que devient la matière première qui passe de l'une à l'autre. Le bout de la chaîne est de l'autre côté du mur. C'est ce côté-ci qui nous concerne.

Que devient la poignée de terre qui devient herbe,

qui devient bifteck, qui devient homme, qui devient esprit?

Peu importe, si nous savons combien de feuilles porte la tige de la graminée, si nous connaissons le volume des quatre poches de l'estomac du ruminant, si nous pouvons mesurer le temps que met l'influx nerveux pour aller du cerveau à la main de Pascal qui écrit les *Pensées!*

Et Qui a construit l'Usine?

Personne, évidemment, puisqu'elle était déjà là lorsque nous sommes nés.

Vous l'avez vu, vous, le Constructeur?

Certains pourtant affirment : il fut un temps où à la place de l'usine il y avait seulement un terrain vague. Alors vint le Grand Contremaître. Il frappa dans ses mains, et l'usine fut. Et il dit aux ouvriers : « Au boulot! et que ça saute! »

Et attention! Nous ne le voyons pas, mais il est toujours là, assis au sommet de la grande cheminée. Il nous regarde à travers la verrière et il note tout! Si nous traînons, si nous sabotons le travail, à la sortie il nous raye des contrôles et on est bon pour l'asile de nuit. Mais si on est gentil et appliqué, alors on a droit au camping sur la Côte du ciel d'Azur, en congé payé éternel...

Parmi les hommes d'aujourd'hui qui occupent ce lieu et ce temps, il y a ceux qui se satisfont des progrès accomplis chaque jour dans l'inventaire de leur Univers.

Il y a ceux qui se réjouissent de la bienveillance du Grand Contremaître en haut de la cheminée.

Il y a ceux, de plus en plus nombreux, à qui il ne suffit plus de cataloguer les apparences ni de croire au Père Noël. Ceux qui prennent conscience que l'essentiel leur manque et croient qu'il n'est pas impossible de le trouver.

Le trouver où ? Le trouver comment ? Je ne sais pas. Si je le savais je le crierais.

Jésus dit aux légistes :

« Malheur à vous, légistes, parce que vous avez enlevé la clé de la science !

« Vous-mêmes n'êtes pas entrés, et ceux qui voulaient entrer, vous les en avez empêchés. » (*Luc*, 11-52.)

La porte qu'ouvrait cette clé, où se trouve-t-elle?
En quel point de l'Univers?

Elle ne peut être que partout.

Dieu ne peut pas être en dehors de sa création.
Le Créateur est dans le créé, prisonnier dans son
œuvre qu'il emplit et dont il est plein, avec elle
confondu.

Bien avant le christianisme, le signe de la croix
était utilisé pour désigner symboliquement la création. La volonté de créer (ligne verticale descendante)
pénètre l'incréé (ligne horizontale) et le résultat
(la croix) est la création. Ou bien, si nous restrei-
gnons l'étendue de la signification du symbole : l'esprit (verticale) descend dans la matière (horizontale)
et le résultat (la croix) est la vie.

Dans son sens le plus restreint, le signe de la croix
peut être interprété comme ceci : le masculin (vertical) pénètre le féminin (horizontal) et le résultat (la
croix) est l'être humain vivant. L'homme, vertical
par son corps debout, et horizontal par la ligne de ses

bras tendus vers la création, est le signe vivant de la croix.

L'esprit de Dieu pénètre Marie et le résultat est Jésus.

Marie, c'est la femme, c'est la mère, c'est la mer, c'est la matière. Jésus c'est l'homme, c'est la vie, c'est la création, c'est le créateur sous sa forme créée. On voit que, dès sa conception, la croix lui est déjà attachée aux épaules avec toutes ses significations.

En clouant Dieu sur la croix, qui est l'image de la création et de l'acte de créer, le christianisme a sans doute voulu nous rappeler, à tout instant, que le créateur en créant s'est fixé dans sa création.

Il est donc partout dans le réel que nous percevons et dans celui qui ne tombe pas sous nos sens. Et, comme il ne saurait être limité, on ne peut le fragmenter quand on fragmente le créé. Il est donc entier dans chaque partie. Un atome contient, autant qu'une galaxie, l'infini et ses lois.

Dieu est entier dans chaque portion de sa création. Il est entier dans chaque créature.

Attention! Il est *dans toi,* tout entier!

Il est dans moi!

Nous voilà bien avancés...

Tu le sens, toi?

Zéro...

Si Dieu est partout, la porte qui s'ouvre sur lui est partout. La rose, le petit chat, les étoiles du matin. Mais la porte la plus proche de l'homme, c'est l'homme.

« Connais-toi toi-même. »

Ces mots inscrits au fronton du temple de Delphes ne constituaient pas un vague conseil de vaseuse philosophie, mais désignaient avec précision une voie, celle dont l'itinéraire était enseigné en ce lieu. Le prêtre prenait le fidèle par la main et l'aidait à avancer, jour après jour, vers l'intérieur du temple. Le temple où pénétrait le fidèle c'était lui-même. Le culte, les « mystères » étaient un enseignement, au sens le plus strictement rationaliste que l'on puisse donner aujourd'hui à ce mot. La science qui était enseignée là — la lumière du temple — permettait à l'homme de voir en lui-même. Il semble que toutes les lumières se soient éteintes.

« Si la lumière qui est en toi est ténèbres, quelles ténèbres ce sera ! » (*Matthieu*, 6-22.)

Il n'y a plus aujourd'hui que des temples éteints

où les fonctionnaires des Églises, au lieu d'expliquer à l'homme en quoi et comment il est une image de Dieu, lui ordonnent de vénérer un Dieu rétréci à l'image de l'homme. Des rites démonstratifs il ne reste que des gestes automatiques et des paroles inefficaces. Et le « mystère » qui aidait à comprendre est devenu une interdiction de comprendre.

L'homme qui cherche la lumière se détourne tristement de ces temples obscurs. Il sait pourtant que la lumière existe. Et c'est ce qui l'empêche de mourir de désespoir dans les ténèbres.

Nombre d'Occidentaux, rebutés par ce que les Églises ont fait de leurs religions, sont partis vers l'Orient à la découverte d'une voie non obstruée. Il ne semble pas qu'aucun d'eux ait pu trouver.

S'il y avait quelque part une route ouverte, le monde coulerait vers elle comme l'eau d'un bassin vers le robinet.

Ce que les Occidentaux ont appris de l'Orient, c'est l'existence de cette porte à l'intérieur de l'homme, dont ils avaient perdu jusqu'au souvenir. Mais la porte reste fermée, comme celle d'un coffre. La différence entre l'Occidental et l'Oriental, c'est que l'Occidental tourne le dos au blindage, tandis que l'Oriental, assis sur ses talons face à la porte, médite en attendant qu'elle s'ouvre toute seule.

Pour ouvrir une porte, il faut une clé.

« Malheur à vous, légistes, qui avez enlevé la clé... »

Malheur à nous, à qui on a fermé la porte au nez.

Les routes vers Dieu sont perdues.
Dieu n'est plus accessible qu'aux aventuriers.

Mais pour un qui parvient au terme du voyage, combien s'y égarent dans la forêt des mots, des faux-semblants, des exaltations, des attendrissements, des niaiseries.

Les religions traçaient des routes vers le réel à travers le foisonnement des apparences. Des routes où tout le monde pouvait s'engager, et sur lesquelles chacun pouvait avancer aussi loin qu'il en avait la force et le désir.

Mais les Églises sont venues, qui ont prétendu faire monter les voyageurs dans leurs voitures et réglementer le voyage. Les véhicules et leur règlement intérieur sont devenus plus importants que le voyage. Pour mieux faire régner l'ordre parmi les voyageurs, on a arrêté l'autocar. On a oublié où on allait. On a oublié qu'on allait. La forêt vierge a reconquis la route.

Il semble que l'humanité, en se multipliant et se dispersant, ait tiré la vérité dans toutes les directions, et que la Vérité se soit déchirée et n'ait laissé entre nos mains que des haillons.

Mais le fragment est l'image du tout, et s'il n'est pas inutile de rapprocher les différents morceaux, c'est probablement celui qui nous est le plus familier qui peut nous enseigner le mieux.

C'est dans le christianisme que l'homme ayant subi le conditionnement chrétien, c'est dans le bouddhisme que le bouddhiste, dans le judaïsme que le Juif sera le plus à l'aise pour essayer de reprendre le voyage vers la Vérité.

C'est sur la route de son pays que chacun aura le plus de facilité pour cheminer. Mais il devra abattre à grands coups de sabre les habitudes verbales qui barrent le chemin. « Donner un sens plus pur aux mots de la tribu? » Non, retrouver l'ancien, le premier.

Mon sabre d'abattis, ce sera *la raison*. Je ne peux, je ne *peux* rien croire qui ne m'ait été montré ou démontré. Et j'accuse les Églises de me voler Dieu parce qu'elles sont devenues incapables de le montrer et de le démontrer. Quand elles prétendent que Dieu n'est ni montrable ni démontrable, elles ne démontrent que l'ignorance où elles sont tombées.

Elles ne sont plus des maisons de Dieu, elles ne sont que des maisons de la morale, où l'on enseigne des règles que l'individu ne doit point enfreindre s'il ne veut pas se voir refuser la Vie éternelle. En réalité, ces règles ne l'approchent ni ne l'éloignent de Dieu. Ce sont seulement des règles destinées à rendre possible la vie sociale et à empêcher les structures des groupes humains de s'écrouler. Chaque Église a les siennes, qui correspondent aux mœurs de la société au sein de laquelle elle s'est développée. Elles sont nécessaires à la vie en commun, mais n'ont rien à voir avec la recherche de Dieu.

Pour nous, fidèles des religions du Livre, la trahison a commencé avec Moïse. (*Exode,* 34-29, 30, 31, 32, 33.) Cela est clairement raconté :

« Lorsque Moïse redescendit de la montagne du Sinaï, — Moïse avait en main *les deux tables* du Témoignage à sa descente de la montagne, — il ne savait pas que *la peau de son visage rayonnait,* à la suite de l'entretien avec Yahvé. Aaron et tous les enfants d'Israël virent Moïse, et voici que la peau de son visage rayonnait et *ils n'osèrent l'approcher. Moïse les appela.* Aaron et tous *les chefs de la communauté* revinrent alors vers lui et *il leur adressa la parole.* Tous *les enfants d'Israël* s'approchèrent ensuite, et *il leur intima les ordres* que Yahvé lui avait donnés sur le mont Sinaï. Quand Moïse eut fini de leur parler, *il mit un voile sur son visage.* Lorsqu'il entrait devant Yahvé pour s'entretenir avec lui, Moïse ôtait son voile jusqu'à sa sortie de la tente. En sortant, il communiquait aux enfants d'Israël ce qu'il avait reçu l'ordre de leur transmettre, et les enfants d'Israël voyaient le visage de Moïse rayonner. Puis Moïse remettait le voile sur son visage jusqu'à ce qu'il rentrât pour s'entretenir avec Yahvé. »

Je me suis permis de souligner quelques passages qui résument tout le drame.

Rappelons d'abord que la montagne sacrée au sommet de laquelle l'élu rencontre Dieu est un symbole universel qu'on retrouve à tous les âges du monde et dans toutes ses civilisations. Les idées de montée, de position spirituelle élevée acquise après de longs efforts, et de *sommet,* c'est-à-dire de but atteint, où il n'y a plus d'effort à faire et d'où l'on domine et découvre le monde, sont assez claires et évidentes pour avoir imposé partout la même image, à moins qu'elle ne provienne partout de la même tradition. Je ne prétends aucunement — je ne prétends rien du tout, à aucune page de ce livre — je ne prétends pas, bien sûr, nier la matérialité du Sinaï. Il se peut que Moïse ait fait réellement l'ascension de la montagne. Mais toute action, tout fait, tout geste, s'inscrivent en écriture symbolique dans la signification universelle. Moïse est monté au Sinaï en réalité ou en image. C'est la même chose. Passons à la descente.

« Moïse avait en main *les deux tables* du Témoignage. »

Deux tables? Pourquoi deux?

Cela signifie-t-il que le message qu'il avait à transcrire avait débordé de la première table et qu'il avait dû en utiliser une seconde? Une telle interprétation paraît un peu enfantine. Ce détail matériel, sans aucune importance, ne nous aurait pas été conservé et *répété* comme il l'est plusieurs fois dans l'épisode du Sinaï. Qui se préoccupe, par exemple, du nombre de feuilles de papier sur lesquelles a été écrite la Constitution américaine? Il n'y a qu'une Constitution. Il y a *deux* tables du Témoignage. C'est de qualité qu'il s'agit, et non de quantité. Il y a deux tables et non une, parce qu'elles sont différentes. Sur chaque table est écrit un message différent.

D'ailleurs, lors de son premier séjour au sommet du Sinaï, Moïse reçoit de Yahvé « les *deux* tables du Témoignage, écrites *du doigt de Dieu* ».

Il est bien évident que le « doigt de Dieu » n'a pas besoin de *deux* tables pour écrire *un* message. Il est non moins évident, si l'on s'en tient à l'interprétation matérielle, que le doigt de Moïse, qui gravera lui-même les tables lors de son second séjour au Sinaï, ne saurait faire tenir le message sur *deux* tables seulement, car c'est un vrai code moral, civil et criminel, détaillé dans tous ses articles, un vrai volume, qu'il est chargé de transmettre aux « enfants d'Israël ».

Si l'on s'en tient à la lettre du Livre, on est donc conduit à l'invraisemblable. Il faut prendre le renseignement comme il nous est donné clairement : il y a deux tables, c'est-à-dire deux messages.

Emportant les deux tables, Moïse revient vers son peuple.

« Il ne savait pas que *la peau de son visage rayonnait* à la suite de son entretien avec Yahvé. »

Évidemment, ce texte-là non plus ne doit pas être pris à la lettre. Le visage de Moïse ne s'est pas transformé en lanterne. Cette image signifie que c'est à travers Moïse que la lumière sera communiquée aux Hébreux. Cela veut dire aussi que l'homme qui a ouvert en lui la porte de la lumière n'a plus le même comportement. Désormais, sa façon de vivre, sa façon *d'être,* éclaire les autres d'une clarté si évidente qu'ils se voient tels qu'ils sont et ne peuvent le supporter. Ils s'enfuient, ou ils détruisent cette lumière inopportune en tuant celui qui la porte.

Toute l'histoire des hommes est pleine de ces meurtres des hommes de lumière, jusqu'à Jésus et après lui.

En face de Moïse, les « enfants d'Israël » se contentèrent de tourner le dos. *Ils n'osèrent l'appro-*

cher. Moïse savait qu'il ne devait pas garder pour lui le double message. Il insista :

« Moïse les appela. »

Mais le peuple ne bougea pas. Seuls s'approchèrent *Aaron et tous les chefs de la communauté.*

Or nous savons (*Exode,* 20-9, 10, 11) qu'Aaron et les anciens d'Israël avaient accompli avec Moïse une partie de l'ascension du Sinaï, c'est-à-dire une partie du voyage spirituel. Seul Moïse était allé jusqu'au bout, jusqu'au « sommet » que ses compagnons n'avaient pas atteint.

Mais s'ils n'avaient pas reçu la lumière, ils l'avaient cherchée, ils l'avaient demandée, ils étaient donc prêts à accepter et à comprendre celui qui en était habité.

Aaron et les chefs de la communauté vinrent donc vers Moïse et celui-ci *leur adressa la parole.*

Voyez quelle différence avec la phrase suivante : rassurés sans doute par la présence de leurs chefs entre Moïse et eux, « tous les enfants d'Israël s'approchèrent ensuite et *il leur intima les ordres* que Yahvé lui avait donnés sur le mont Sinaï ».

Aux premiers, *la Parole.* Aux seconds *les Ordres.* Sans doute les deux messages différents symbolisés par les *deux* tables.

Récapitulons : Moïse étant monté au sommet du Sinaï, c'est-à-dire ayant atteint le sommet de l'état d'homme, y a vu et entendu Dieu, c'est-à-dire que rien de l'Univers ne lui est plus caché ni incompréhensible.

Celui qui a reçu une telle lumière ne peut faire autrement que d'éclairer les autres. Moïse veut donc communiquer à son peuple ce qu'il a appris, et lui montrer la route qu'il a lui-même suivie. Il appelle son peuple. Mais celui-ci refuse de s'approcher. Seuls s'approchent ceux qui ont déjà cherché la lumière. A ceux-là, Moïse *adresse la parole*. A ceux qui ont refusé de s'approcher, *il intime les ordres*. Puis...

« Quand Moïse eut fini de parler, *il mit un voile sur son visage.* »

C'est fini. Désormais, à ceux qui n'ont pas voulu s'approcher, la lumière demeurera dissimulée. Car celui qui ne la cherche pas ne peut pas la recevoir.

Moïse a voilé la lumière de son visage. Il la montre seulement « quand il sort de la tente » où il s'est entretenu avec Yahvé, afin que chacun sache bien que cette lumière existe. Puis il met de nouveau le voile sur son visage. Que celui qui veut être éclairé vienne à lui et soulève le voile...

Il y aura donc désormais en Israël ceux qui ont reçu la Parole et qui se la transmettront de génération en génération, et ceux qui n'ont reçu que les ordres. Mais le visage de Moïse doit rester lumineux sous le voile, et accessible à celui qui s'approche et veut soulever le voile.

C'est-à-dire que l'enseignement ésotérique de la Vérité, symbolisé par ce visage lumineux et voilé, ne doit pas devenir réservé et fermé, mais au contraire accueillir tous ceux qui veulent entrer.

L'histoire du peuple juif et de sa religion nous montre bien qu'il n'en a pas été ainsi. Et c'est ce qui a rendu nécessaire dans cette communauté la venue d'un autre porteur de lumière, celui qui dira :

« Est-ce que la lampe paraît pour qu'on la mette sous le boisseau ou sous le lit ? N'est-ce pas pour qu'on la mette sur le lampadaire ? » (*Marc,* 4-21.)

« Rien ne se trouve si voilé qui ne doive être dévoilé, rien de caché qui ne doive être connu. » (*Luc,* 12-2.)

« Malheur à vous, légistes, parce que vous avez enlevé la clé de la science ! Vous-mêmes vous n'êtes pas entrés, et ceux qui voulaient entrer vous les en avez empêchés. » (*Luc,* 11-52.)

Ceux qui ont « enlevé la clé de la science » l'ont perdue. Car celui qui ne transmet pas la Vérité la perd. Le poids de l'égoïsme le fait tomber du Sinaï.

Mais la lumière qu'apportait Jésus a subi la même occultation. Les légistes juifs ont eu de dignes successeurs chrétiens. La lampe a été remise sous le boisseau, l'oxygène lui a manqué, et si elle n'est pas éteinte, comme tout nous porte à le craindre, elle doit charbonner, fumer, et sa lumière palpiter dans les soubresauts de l'agonie.

Comme celui de Moïse, le visage de Jésus a reçu son voile. Ceux qui parlent en son nom ne nous apprennent rien, ne nous expliquent rien, ne nous disent rien d'autre que de croire et ne pas chercher à comprendre.

Ce n'est plus possible. L'humanité a dépassé l'âge où l'on cherche du regard le Père Noël derrière les nuages. Elle est à l'âge scolaire, et ses maîtres chaque jour lui montrent *des choses incroyables auxquelles elle croit parce qu'on les lui a montrées et démontrées.* Elle commence à se rendre compte de l'immensité de son ignorance, à penser qu'il n'y a peut-être pas de certitudes dans les apparences, et que la réalité est ailleurs. Elle est prête à s'avancer vers cette réalité, mais ne saurait accepter l'interprétation que nous proposent les Églises.

Dépouillée de son sens premier, séparée de la lumière qui en éclairait les profondeurs, l'histoire à laquelle elles nous demandent de croire n'est plus qu'un vieux conte poussiéreux qui ne répond pas à nos questions, ne satisfait pas notre raison, n'apaise pas notre angoisse.

Et pourtant c'est là que nous devons chercher. C'est derrière ces vieilles figures, ces barbes mitées, ces décors déteints, derrière la barricade des armoires à confitures que se trouve le boisseau sous lequel a été cachée la lampe qui peut-être palpite encore.

Moïse a voulu apporter les deux « tables » à son peuple, mais son peuple ne s'est pas approché, et Moïse a voilé la lumière de son visage.

Jésus a voulu apporter la « bonne nouvelle » à son peuple, mais son peuple l'a tué. Et ceux qui étaient avec Jésus l'ont « mis au tombeau ».

Le voile, le boisseau, le tombeau. L'image est la même. La lumière est dissimulée par ceux-là mêmes qui ont mission de la répandre. Mais la lumière risque de s'éteindre sous le voile : *le tombeau de Jésus est vide.* Marie de Magdala se lamente : « On a enlevé le Seigneur du tombeau et nous ne savons pas où on l'a mis. »

Nous non plus.

De même que Moïse n'a « adressé la Parole » qu'aux « anciens » qui avaient monté avec lui les pentes du Sinaï, de même Jésus n'est plus apparu après « sa mise au tombeau » qu'à ses disciples.

Les anciens et les disciples furent chargés de la même mission : conserver la lumière, et en faire profiter tous ceux qui voudraient être éclairés. Mais les successeurs de ses disciples ont fondé une Église pour y installer la lumière et la protéger. Ils l'ont mise dans la cave, à l'abri des courants d'air. Et de la curiosité...

Et les successeurs de leurs successeurs, en agrandissant l'Église, en épaississant ses murs et multipliant ses annexes, ont muré la crypte et oublié la lampe qui y brûlait. Ainsi des deux messages de Moïse nous ne continuons à connaître que celui qui contenait les ordres, les commandements, la loi. Le règlement qu'il faut observer sous peine de contravention.

Moïse le contractuel...

Les alinéas de ce contrat gravé sur la première table ont lié entre eux jusqu'à nos jours tous les hommes de l'Occident.

Même lorsqu'ils se considèrent comme ennemis abominables et s'entr'égorgent avec diligence, ils sont régis par la même Loi, qui a traversé les millénaires et soumis la moitié du monde.

Mais la Loi n'est pas la Connaissance.

Les Commandements ne sont pas l'Enseignement.

Pour que ses leçons soient efficaces, un maître peut et doit faire régner l'ordre dans sa classe. Mais s'il passe son temps à faire respecter la discipline au lieu de dévoiler son savoir, il perd sa qualité de maître et il devient un pion.

Quant aux Grandes Vacances éternelles qu'il promet aux élèves bien sages pour les récompenser de leur bonne conduite et de leur respect envers le Surveillant général, qui pourrait les prendre au sérieux?

Quel intérêt cela présente-t-il pour quiconque et pour lui-même, que le pauvre Barjavel ou le pauvre Dupont vive éternellement? Un Dupont éternel, un Barjavel inoxydable, indestructible, vous voyez ça? Ça vous tente? Vous vous plaisez tant que ça en votre compagnie? Pour l'éternité?

Ce n'est pas sérieux.

Une rose, peut-être, vaudrait la peine...

Mais on sait ce qu'elles durent.

Voilà un exemple précis d' « habitude verbale » sur laquelle devra s'abattre le sabre de la recherche et de la raison : quel était à l'origine, le sens précis de *vie éternelle,* avant que cette expression fût traduite en hébreu, puis en grec, puis en latin, puis en français? Certainement très différent de celui qui fut répandu à l'usage des pauvres humains perdus, qui ne sachant plus ce qu'est la vie, se laissaient épouvanter par l'idée de la mort.

Un autre exemple, nous l'avons vu, est celui de la fameuse sentence de l'*Ecclésiaste :* « Vanité des vanités, tout n'est que vanité. »

Ce n'est pas là un soupir amer, une remarque désabusée sur le peu d'intérêt que présentent, à la réflexion, les biens et les plaisirs de ce monde.

C'est étymologiquement, et exprimé de la façon la plus précise, l'affirmation que le monde qui apparaît à nos sens, *notre* monde est composé de vide. Ce que nos savants constatent aujourd'hui avec effarement, l'homme qui a écrit ce texte, il y a trois mille ans et peut-être beaucoup plus, le savait.

« Vide des vides, tout est vide. »

Voilà ce qui a été écrit à l'origine. Relisez le livre de l'*Ecclésiaste* en donnant à la phrase ce sens-là, et non le sens vaguement mélancolique et sans grande importance qu'on lui donne d'habitude.

Vous verrez alors quelle profondeur et quelle résonance extraordinaires prend le texte tout entier. Et vous pourrez mesurer quelle dégradation il a subie dans sa traversée des âges, des langues, des ignorances et des dissimulations.

Il doit en être ainsi du premier mot de la Genèse au dernier mot de l'Apocalypse.

« Alors Yahvé Dieu fit tomber un profond sommeil sur l'homme, qui s'endormit. Il prit une de ses côtes et referma la chair à sa place. Puis, de la côte qu'il avait tirée de l'homme, Yahvé Dieu façonna une femme... » (*Genèse, 2-21, 22.*)

Remarquons d'abord que le début de ce récit est la relation parfaite d'une intervention chirurgicale : anesthésie, opération, fermeture de la plaie opératoire. Ce qui permet de déduire que l'auteur du récit, il y a cinq ou six mille ans, vivait dans une société où les opérations sous anesthésie étaient habituelles. En effet, pour « imager » ce qu'il avait à dire, il ne pouvait faire appel qu'à des éléments familiers à ses contemporains. Cela ne saurait surprendre que les bien-savants, qui croient sincèrement être les premiers enfants enfin civilisés d'une longue lignée de singes et de sauvages.

Ce qui est plus surprenant, c'est cet homme à qui il manque désormais une côte. Comme il s'agit de la conformation de l'homme par excellence, de l'homme type, tous ses descendants mâles devraient avoir une côte en moins. Nous savons qu'il n'en est rien.

Mais la science a découvert, il n'y a pas très longtemps, que les hommes ont effectivement *quelque chose de moins que les femmes.*

Quiconque a eu sous les yeux la microphotographie d'une cellule en train de se diviser a été frappé par l'alignement, dans le noyau, des chromosomes dédoublés. De chaque côté de la ligne de partage de la cellule, les chromosomes symétriques se font face, comme les côtes de part et d'autre de la colonne vertébrale. Comptons ces chromosomes. Chez la femme, il y en a 23 paires. Chez l'homme, combien? 22 paires complètes et une paire incomplète...

On a d'abord cru que l'homme n'avait que 45 chromosomes. En regardant mieux, avec des instruments plus puissants, on s'est aperçu que le 46e ne manque pas tout à fait : il en reste un morceau, un moignon.

Au chromosome complet, les biologistes ont donné le nom de X. Au fragment qui lui fait face le nom de Y. Dans sa double colonne de chromosomes, la femme a donc une paire X X, symétrique et complète, comme les autres paires. A la place de cette paire-là, l'homme n'a qu'une paire boiteuse X Y.

On sait que ce sont ces chromosomes qui sont les facteurs de l'hérédité. Ce sont eux qui portent les ordres de la vie, de l'espèce, de la race, de la famille, de l'individu. Or, que se passe-t-il dans les glandes sexuelles de l'homme quand une cellule se divise pour donner naissance à deux spermatozoïdes? Les deux spermatozoïdes vont se partager toutes les paires de chromosomes, y compris la paire X Y. Un d'eux emportera le chromosome X, et l'autre le chromosome Y.

Le spermatozoïde X avec tous ses chromosomes complets, s'il parvient à féconder un ovule, *donnera naissance à une fille,* dont toutes les cellules auront 23 paires de chromosomes complètes et symétriques.

Le spermatozoïde Y, qui emporte 22 chromosomes complets et un vingt-troisième qui n'est qu'un fragment, *engendrera un homme,* dont toutes les cellules auront une paire de chromosomes boiteuse et dissymétrique. On est tenté d'écrire : mutilée...

Je ne sollicite pas les faits, je ne trafique pas le peu que je sais pour le rendre conforme à une idée préconçue. Vous pouvez consulter n'importe quel traité de génétique et vous y trouverez cette évidence, avec photos et graphiques à l'appui :

C'est le chromosome X, le chromosome complet, qui, *sorti de l'homme, donne naissance à la femme.* Et c'est ce chromosome X qui manque à l'homme.

Remplacez le mot chromosome par le mot côte, et vous avez le récit biblique, mise en scène symbolique d'une vérité dont nous ne comprenons ni la nécessité ni la signification, et dont nos microscopes ne nous ont révélé que le mécanisme.

Au Commencement, Dieu prit un chromosome à l'homme pour en faire la femme. Le Commencement continue. Dieu poursuit son opération. Qu'est-ce que Dieu? Est-ce le Plan? la Loi? la Nécessité?

Dieu. Il n'y aura pas d'autre nom tant que nous n'aurons pas trouvé ou retrouvé le vrai nom.

Nous devons commencer par essayer de retrouver les vrais mots du Livre.

Par exemple, quel mot se trouvait à la place du mot côte, dans le texte latin? Mon dictionnaire me dit *costa,* qui a le même sens, et signifie aussi *côté.* La côte a donc tiré son nom de sa position.

On voit que si les chromosomes avaient été baptisés par nos pères latins, ils auraient pu porter le même nom que l'os de la Bible, puisque eux aussi, au moment où ils s'individualisent dans le noyau, se disposent « de chaque côté ».

Les chromosomes sont aussi vieux que la vie, mais la science moderne les a découverts depuis peu, et le nom qui leur a été donné est dû à leur faculté de bien retenir le colorant dont les préparateurs se servent pour les rendre visibles sous le microscope. Chromosome : du grec *chroma,* couleur, et *sôma,* corps.

C'est un mot très récent, un nom artificiel construit sur une qualité accidentelle.

Comment l'homme qui rédigea l'épisode de la côte d'Adam aurait-il baptisé le chromosome s'il avait eu à le nommer? D'après sa forme? D'après sa position? D'après sa fonction?

D'après sa forme ou sa position, nous voyons qu'il aurait pu lui donner le même nom qu'à la côte, car les chromosomes comme les côtes sont courbes, et au moment déterminant de leur existence, c'est-à-dire quand ils s'individualisent et se divisent pour transmettre la vie et ses ordres, ils se trouvent disposés par paires symétriques de chaque côté d'un axe.

S'il lui avait donné un nom inspiré par sa fonction, il aurait dû faire allusion au fait que le chromosome transmet les caractéristiques de la lignée vivante. *C'est le porteur des formes de la vie, et peut-être de la vie elle-même.*

L'épisode de la côte d'Adam, qui a été recueilli par la Bible, faisait sans doute partie d'une tradition orale dont nous ne pouvons soupçonner l'ancienneté. On le trouve également *écrit* dans des tablettes sumériennes qui sont vraisemblablement antérieures à la rédaction biblique. *Et le caractère utilisé pour désigner ce qui fut enlevé à l'homme signifie également : vie.*

Il y a peut-être dans le texte hébreu de la Bible, ou dans le texte grec, ou dans l'araméen, à la place du mot côte, un mot qui signifie à la fois courbe ou côté, et vie ou transport de vie, ou cause de vie ou forme de vie. Je ne sais pas, je ne connais pas l'araméen, ni le grec, ni l'hébreu, ni même le latin. A peine et à grand-peine le français. Je ne suis qu'un homme moyen, qui ne sait pas grand-chose, et qui a furieusement envie d'en savoir plus.

Je ne suis pas un spécialiste de la Bible, je n'ai pas passé la moitié de ma vie penché sur ses pages. Je l'ai, comme quelques-uns d'entre vous, parcourue une ou deux fois, puis ouverte par-ci par-là, à l'occasion. Je ne la connais pas mieux que *Les Trois Mousquetaires,* et beaucoup moins que *La Cigale et la Fourmi.*

Les quelques pages que vous venez de lire ne sont donc pas le résultat de longues macérations, et tandis que je les écrivais la fumée ne me sortait pas par les oreilles. Ce sont seulement des rapprochements qui se sont faits accidentellement en moi, entre des épisodes ou des phrases bibliques que tout le monde connaît et des faits scientifiques qui sont à la portée de tous les lecteurs des revues de vulgarisation.

Je ne hante ni Saclay ni la synagogue, je ne suis ni curé, ni pasteur, ni savant : je suis un écolier qui cherche le chemin de l'école. Et je me dis que si, moi qui ne sais rien, j'ai pu faire au hasard de mes lectures ces rapprochements entre les textes anciens et la science nouvelle, que ne serait-on en droit d'attendre d'une assemblée d'hommes de bonne volonté *ayant des connaissances* et les confrontant dans le désir de tirer, de ces rapprochements, quelques lumières ? Je rêve de voir, attaché à ce travail, une académie de savants de toutes disciplines, physiciens, chimistes, atomistes, biologistes, mathématiciens, astronomes, électroniciens, historiens, archéologues des langues et des cités, théologiens juifs, catholiques, orthodoxes, protestants, musulmans, tous libres de tout parti pris et de tout fanatisme scientifique ou religieux, tous prêts à tout admettre que la conjugaison de leurs savoirs contradictoires ait rendu évident ou prouvé.

Quel sens nouveau, ou plutôt quel sens ancien pourraient prendre enfin les vieilles paroles !

Le peu que l'on sait de ce que fut en profondeur la civilisation égyptienne, mère de toutes les civilisations occidentales, nous laisse supposer qu'il fut un temps de l'humanité où il n'y avait pas une science et une religion séparées, mais où l'une et l'autre confondues composaient ce que nous pourrions nommer la Connaissance. Et qu'est-ce que la science, en fait, sinon l'approche de la connaissance de ce qui est ? Et ce qui est, celui qui connaît Dieu ne le connaît-il pas ?

Cette connaissance perdue, seuls un rapprochement et une conjonction de la religion et de la science peuvent nous permettre d'espérer qu'elle sera retrouvée un jour. Ce que nous ne pouvons plus accepter, d'aucune façon, malgré notre élan, nos bras ouverts, notre soif terrible, c'est l'affabulation périmée à laquelle se cramponnent les Églises et le mysticisme nébuleux qu'elles proposent aux plus exigeants. Un mythe vidé et conservé par des artifices est comme un corps vidé de son sang et conservé par des aromates : une momie desséchée, caricature de l'organisme vivant qu'elle fut autrefois.

A condition qu'on ne cherche pas à nous faire prendre son vieux cuir pour une chair pulpeuse et chaude, elle peut jouer son dernier rôle utile : nous inspirer le regret déchirant de sa vie disparue, nous inciter à retrouver sous sa grimace racornie ce que fut le sourire ineffable de la vérité, à la ressemblance de qui elle avait été faite.

Ma mère était protestante et mon père, le cher brave homme, à la fois catholique et libre penseur. Il était allé un peu à l'école, l'hiver, quand le mauvais temps rendait impossible la sortie des brebis et des chèvres, et inutile la présence du petit berger.

Lorsqu'il eut douze ans, son père, qui l'aimait bien, le prit par la main et fit avec lui vingt-sept kilomètres à pied pour le placer en apprentissage chez un boulanger.

C'est ainsi qu'il apprit, très jeune, à pétrir avec ses mains la pâte du pain. Il devint un bon, puis un excellent ouvrier, puis un merveilleux boulanger. Il faisait le meilleur pain du monde et il en était plus que fier : content. Si je pouvais croire aux histoires du dimanche, je penserais, attendri et consolé, qu'il est en train, aujourd'hui, de faire le pain du Paradis.

Il était simple, généreux et naïf. Malgré ces qualités, qui sont celles du « croyant » idéal, il n'avait jamais pu « croire », car ça ne lui paraissait pas croyable. Et, effectivement, ça ne l'est pas.

Après une longue vie de travail qui l'avait laissé

aussi pauvre que le jour de ses douze ans, il est mort d'un cancer envahissant, après quarante-huit heures d'agonie lucide. Au moment où ça devenait très dur, je lui ai pris la main et je lui ai dit doucement : « C'est un mauvais moment à passer. Tu seras mieux tout à l'heure... »

Il ne pouvait plus parler, mais il entendait bien. Il m'a fait « oui » de la tête. Il était d'accord.

Sans mentir, mais dans une imprécision voulue, je lui avais tendu une double possibilité de réconfort. Il pouvait le refuser, ou l'accepter sur le plan matériel, ou y attacher une confuse espérance. Mais je savais qu'il savait où il en était. Le matin, alors qu'il parlait encore, il avait dit avec une certitude détachée : « Ce soir, je serai mort. » Lui qui ne croyait pas avoir sa petite place réservée « quelque part » plus ou moins au chaud, de quoi était-il donc d'accord ? Qu'on est mieux mort qu'agonisant ? Était-ce sa seule certitude ? Ou bien lorsqu'on a la chance de mourir lucide et sans peur n'a-t-on pas la possibilité, enfin détaché de TOUT, même de l'amour des siens, de comprendre où on en est ?

Il a, d'un petit geste, repoussé ma main et continué son chemin tout seul.

Mon père avait été enfant de chœur et le vieux curé de Bellecombes, qui ne parlait que patois et latin, l'avait traité comme on traite, dans ces montagnes désolées, les catéchumènes et les troupeaux de brebis maigres : à coups de gueule et de pied dans les fesses. Ça ne lui avait rien montré ni démontré. Dès qu'il fut un homme indépendant, gagnant sa vie avec le bon travail de ses mains, il s'inscrivit, pour proclamer que son esprit, lui aussi, était émancipé, à la Libre Pensée. Je me souviens avoir vu passer, étant enfant, le convoi funèbre d'un libre penseur. Ils étaient trois à l'enterrement. Il y avait le tambour de ville, qui portait le drapeau tricolore, il y avait mon père et le défunt. Ils traversèrent les rues vides du village sous les regards scandalisés des fenêtres protestantes et catholiques habituellement ennemies et d'où tombait, vers la rue ensoleillée, la même réprobation glacée.

De cette population bipartite momentanément unie par le scandale, et des trois naïfs scandaleux qui faisaient leur chemin en lui tournant le dos, de tous ces « bien-pensants » et de ces « libres penseurs », les deux qui « pensaient » encore et celui qui ne pensait plus, lequel ou lesquels pensaient comme il convient pour pouvoir un jour penser ce qu'il faut?

La justification initiale des « deux tables », de la séparation entre la transmission ésotérique de la Vérité et la révélation publique d'une religion qui calque sur elle son argument, c'est que la Vérité est difficile et sévère et qu'il faut l'habiller d'une imagerie pour la rendre attrayante et plus accessible au grand nombre.

Mais peu à peu la Vérité se ratatine et se réduit à rien à l'intérieur de l'imagerie qui finit par n'être plus qu'un habit vide.

Et quand les esprits les plus simples, pour qui, expressément, cette imagerie a été fabriquée, s'aperçoivent de son artifice et ne peuvent plus la prendre au sérieux, alors elle joue un rôle contraire à celui pour lequel elle a été conçue : au lieu d'attirer le grand nombre elle le repousse.

Et faute de pouvoir lui redonner toute sa signification, il faut se résigner à voir les hommes la détester et la combattre comme un leurre social et rechercher dans les réalités sensibles et rationnelles les vérités, sinon la vérité du monde. La moitié de l'humanité a déjà opéré ce demi-tour. Pour les neuf dixièmes de l'autre moitié, la religion reste un mélange d'habitudes mentales, de règles morales, d'obligations et d'interdits sociaux, et de vague assurance sur la mort.

Il reste un dixième de la moitié, qui croit sans se poser le moindre problème à ce qu'on lui affirme en telle ou telle partie du monde.

Mais l'humanité tout entière croit que deux et deux font quatre, parce que c'est évident. Il faut retrouver la voie, le chemin, le moyen, l'enseignement, la méthode qui rendra aux hommes l'évidence de Dieu aussi évidente que cette évidence-là.

Il ne s'agit pas de fonder des ou une religion nouvelle, mais de s'accrocher au contraire très fidèlement à celles qui existent et de les pénétrer jusqu'au plus ancien et au plus intime de leur structure pour tâcher d'y retrouver la vérité qu'elles y ont oubliée.

De père catholique et de mère protestante, j'ai reçu le baptême protestant et j'ai été élevé dans les traditions protestantes. Pas plus que le curé ne l'avait fait à mon père, le pasteur ne me montra ni démontra quoi que ce fût.

Quand vint le moment de ma première communion, qui se fait chez nous à quatorze ans, j'avais déjà la taille d'un conscrit, et la honte me prit à l'idée d'aller m'exhiber au milieu de garçons de mon âge que je dépassais d'une tête et demie. Tout le village aurait les yeux fixés sur moi pendant que je mangerais le morceau de pain et boirais la gorgée de vin. Ce casse-croûte solennel me paraissait ridicule et incongru. On m'avait expliqué que c'était une commémoration du dernier repas de Jésus qui était mort pour moi. Mais je ne comprenais pas pourquoi Jésus était mort pour moi — je n'avais besoin de la mort de personne — pour racheter mes péchés — je me sentais très innocent — ni pourquoi je devais le remercier en mangeant un morceau de pain sous les yeux de toutes les commères du pays. Je refusai de faire ma première communion.

Ma mère était morte, épuisée par la boulangerie à maintenir et trois fils à nourrir et à élever, pendant la longue absence d'un mari retenu cinq ans à la guerre. Ce furent ma grand-mère et mes tantes qui se scandalisèrent et menèrent la bataille contre mon obstination. Mais ma famille protestante m'avait appris à respecter et honorer mes ancêtres huguenots, qui s'étaient battus pendant des siècles pour la liberté de leur culte et de leur pensée. Je me sentais solidaire d'eux, menant la même bataille, et je ne cédai pas. La famille fit alors appel au pasteur. Celui-ci me prit à part et me demanda, d'un air bouleversé, si j'avais perdu la foi. Son émotion me plongea dans la plus grande perplexité. Je n'avais pas imaginé un instant, jusqu'alors, qu'il crût lui-même aux fariboles auxquelles il s'efforçait de nous faire croire. Je le considérais comme un père un peu attardé qui essaie de maintenir dans la croyance au Père Noël des enfants à qui déjà bourgeonne la moustache. Avec tout l'assortiment de promesses et de menaces nécessaires pour qu'ils se tiennent sages le plus longtemps possible.

Mais sa gravité, son anxiété, le tremblement de sa voix et de ses mains me convainquirent : il y croyait! Je fus empli d'une grande pitié et à la question qu'il répétait : « Réponds-moi, as-tu perdu la foi? » je répondis doucement : « Non. » Ce n'était pas tout à fait un mensonge : je n'avais pas pu perdre ce que je ne me rappelais pas avoir possédé.

Je fis donc quand même ma première communion, et pour ma grand-mère qui avait quatre-vingt-six ans et que mon refus menaçait dans sa frêle survivance, et pour ce pauvre homme dont je risquais de détruire l'édifice d'illusions dont il protégeait son absurde foi.

Quand il nous tendit le calice et le plateau de petits bouts de pain, il tremblait de nouveau, le cher homme, mais de joie. Il était persuadé que tous ces garçons rassemblés pensaient à Jésus avec amour et gratitude, alors qu'ils pensaient — je les connaissais bien — les uns au fameux repas familial qui allait suivre, les autres à la partie de billes ou de toupie qu'ils allaient entamer quand ces simagrées seraient enfin finies, et quelques-uns, déjà, aux filles.

Il croyait, le cher homme, que les familles qui couvaient du regard leurs chérubins n'avaient au cœur qu'amour de Dieu et du prochain, alors qu'elles détaillaient et comparaient les costumes des gamins, reconnaissaient celui qui avait déjà servi aux deux frères aînés, repéraient les oreilles mal récurées et préparaient, pour les petites conversations de la sortie, un stock de remarques bien pointues à échanger avec les voisines.

Au même moment, à l'autre bout de la Grand-Rue, dans l'église catholique, une assemblée identique agitait d'identiques pensées devant un identique spectacle.

Et sur tous les visages, des parents et des enfants, protestants et catholiques, la même expression bénite, benoîte, masquait la réalité des indifférences et des méchancetés.

La honte qui m'envahissait n'était pas celle que j'avais crainte, de ma taille perchée qui poussait mon visage à la vue de tous, mais du mensonge que chacun y pouvait lire, du mensonge des autres visages, du mensonge de cette assemblée, de cette église, de cette histoire incroyable qu'y racontait un simple d'esprit, du mensonge de toute une population qui se rassemblait à heure fixe pour faire semblant d'y croire.

Où était la vérité dans tout cela? Parmi les mille personnes réunies dans les deux églises, qui s'en souciait?

Ils mentaient, mentaient, mentaient tous.

La honte me brûlait les joues et le front. Je transpirais. La bouchée de pain passa de travers. J'eus envie de boire tout le pinard et de jeter le pot d'argent dans l'assemblée confite, comme un caillou dans la mare à têtards. Je me retins, mais j'eus honte de me retenir. J'ai honte encore aujourd'hui, honte de moi-même et des autres, honte du mensonge universel des Églises, de leurs lois et de leurs sociétés, du mensonge de millions de fidèles qui font semblant de croire aux semblants qu'on leur propose.

Ce mensonge est une boue où s'enlise l'espoir des hommes.

Mes ancêtres protestants quittèrent l'Église catholique parce qu'ils avaient honte d'elle. Ils eurent tort.

On ne quitte pas une maison qu'on trouve sale. On la nettoie.

Eux partis, l'Église de Rome fit sa lessive, et eux restèrent à la porte. Ils s'étaient coupés de la tradition, et perdirent le bénéfice de ces langages secrets que sont entre autres le culte, l'architecture, les vêtements et ornements sacerdotaux, l'organisation et la hiérarchie de l'Église, etc. Certes, ceux qui étaient restés dans la maison avaient déjà oublié le sens de ces langages, mais ce n'est pas en sortant dans la cour et en allant coucher dans le hangar qu'on peut retrouver le chemin de la cave où la lampe est murée.

Le cycle de la Table ronde, qui fut sans doute rédigé par des moines qui savaient encore où se trouvait la lumière, raconte d'une manière symbolique, en utilisant comme images les personnages et coutumes de l'époque, quel était l'itinéraire spirituel à parcourir pour y accéder. Toutes ces images sont devenues très obscures pour un lecteur d'aujourd'hui.

Mais quelques-unes sont restées claires, et leur sens évident.

Le Graal, par exemple, que doit trouver le Chevalier, qui sera la récompense de ses aventures, et *qui apaise sa faim et sa soif,* c'est la coupe dans laquelle a été recueilli le sang de Jésus lorsqu'il fut percé au flanc par la lance. Et cette coupe brille d'une lumière éclatante, comme le visage de Moïse. C'est toujours la même image.

Le Graal, qui contient le sang de Jésus, c'est la tradition, c'est la clé, c'est la porte, c'est le lieu qui contient la Vérité.

Or ce Graal est enfermé dans une pièce secrète d'un château gardé par le roi « mehaigné », c'est-à-dire le roi blessé. Ce roi a été blessé à la cuisse par la même lance qui perça le flanc de Jésus, et sa blessure n'a jamais guéri. Sa blessure éternelle saigne et le tourmente, mais il n'en meurt pas plus qu'il n'en guérit. Il garde le Graal, c'est sa mission, et il saigne et il pourrit et il se plaint et tous les chevaliers qui cherchent le chemin du château du roi « mehaigné » plaignent le malheureux qui perd son sang en gardant le Graal.

Et quand l'un d'eux, après avoir déjoué toutes les ruses du diable, franchi tous les obstacles, vaincu tous les ennemis, découvre enfin le château, compatissant il s'enquiert en entrant de la santé du Roi. Aussitôt le château se dérobe à sa vue. Il ne trouvera pas le Graal.

Seul Galaad, le Chevalier blanc, criera en entrant la question qu'il faut crier. Il se soucie peu de la santé du Roi. Il n'est pas médecin ni pleureuse, il n'est pas venu pour poser des emplâtres. Ce n'est pas pour cela qu'il se taille un chemin depuis son adolescence à travers les sortilèges et les mensonges des apparences. C'est pour le Graal qu'il vient, ce n'est pas pour le Roi. Et en entrant il crie, impatient, presque furieux : « Où est le Graal ? »

Et le Graal lui est donné.

Le Roi gardien du Graal, il me semble assez évident qu'il représente l'Église. L'Église est humaine, matérielle, elle ne peut pas, elle ne peut jamais être entièrement bien portante. Mais qu'importent ses plaies, qu'importe qu'elle pourrisse et pue en quelqu'un de ses membres ? Nous n'avons pas à la plaindre ni à tenter de guérir son inguérissable chair, mais à lui crier : « Où est Dieu ? » Et si elle ne sait plus nous désigner dans son château le chemin et la porte, les chercher avec elle.

Les hommes qui se sont détournés du spiritualisme aux faux visages pour chercher une certitude dans le réel commencent aujourd'hui à s'apercevoir que celui-ci n'est pas moins trompeur. La réalité n'est pas vraie, tout n'est rien, ce que nous voyons est invisible, nous ne touchons que de l'intouchable. Sous les pieds du matérialisme la matière s'évanouit. Nos sens et notre raison établissent en notre esprit une architecture de l'Univers qui n'a pas plus de profondeur qu'un décor de théâtre. Derrière cette façade qui borne notre connaissance se meut l'infinité tourbillonnante des forces immatérielles équilibrées. Ces forces, cet infini, cet équilibre, cet ordre qui est le même dans le couteau et le sein, dans la rose et l'étoile, cette énorme et méticuleuse ordonnance qui fabrique tout avec rien, nous devinons bien qu'elle est la seule, la même réalité, derrière les figurations trompeuses du réalisme et du spiritualisme.

C'est pourquoi ceux qui s'efforcent de franchir l'un et l'autre décor, bien que semblant travailler dans des directions opposées, se rencontreront dès qu'ils auront percé les faux-semblants.

Quand nos fils auront trouvé les réponses, en seront-ils satisfaits? Y trouveront-ils l'explication du règne vivant assassin de lui-même, et la justification de sa chair déchirée?

Il est un problème classique qui peut nous aider à comprendre l'utilité du vivant. Vous le connaissez peut-être. En voici l'énoncé :

Étant donné une pièce hermétiquement close et opaque dans laquelle ne se trouve aucun organisme vivant ni aucun instrument scientifique, et au plafond de laquelle pend une ampoule électrique commandée de l'extérieur, si l'on fait passer le courant dans l'ampoule et que celle-ci fonctionne, *y a-t-il de la lumière à l'intérieur de la pièce?*

La réponse vous paraît évidente. Vous dites : « Oui! bien sûr! »

Attention...

Réfléchissons.

Et recommençons l'expérience. Introduisons dans la chambre close une cellule photo-électrique reliée à un galvanomètre extérieur et surveillons le cadran de ce dernier. Nous verrons ceci : dès que l'ampoule fonctionne, un courant électrique passe dans le galvanomètre.

Allons-nous en conclure que l'ampoule émet du courant électrique?

Bien sûr que non. L'ampoule émet des rayons, des photons, des quanta, restons-en là en attendant une théorie nouvelle, et pour simplifier disons simplement des ondes.

La cellule photo-électrique reçoit ces ondes et les transforme en courant électrique.

Introduisons maintenant dans la chambre close, à côté de la cellule branchée sur le galvanomètre, un organisme vivant porteur d'un œil branché sur un système nerveux. Et faisons fonctionner l'ampoule.

L'ampoule émet des ondes.

La cellule les reçoit et les transforme en courant.

L'œil les reçoit et les transforme en lumière.

Nous pouvons parfaitement accepter l'idée d'un autre organisme vivant qui posséderait, à la place de l'œil, un organe récepteur capable de transformer les mêmes ondes en sons, ou en chaleur, ou en sensation de contact, en vibrations, en odeurs, en mouvements, en mille autres formes de perceptions que nous ne pouvons même pas imaginer, en dehors des limites de nos propres sens.

La lumière n'est que notre façon à nous, parmi une infinité d'autres façons possibles, de recevoir et transformer, à travers notre œil et notre cerveau, les ondes émises par la lampe.

Tant qu'il n'y a personne pour opérer cette transformation, il n'y a pas de lumière dans la pièce close.

C'est l'œil qui fait la lumière.

S'il n'y avait pas le vivant pour voir, et percevoir la création de mille et peut-être de millions de façons dont nous ne connaissons à peine qu'une demi-douzaine, que serait la Création? *Elle serait comme si elle n'était pas.*

Elle serait moins qu'un cadavre. Elle serait imperceptible parce que non perçue. Elle serait comme le néant.

Est-ce cela le rôle du vivant?

Donner une existence à l'Univers en le percevant?

Le Créateur crée sa Création. Ça vous gêne ce mot Créateur? Moi aussi. Ça sent le prêche du dimanche, la voix trémolante des professionnels du Seigneur et du bon Dieu. C'est pourtant un mot bien simple qui dit exactement ce qu'il signifie. Mais on l'a barbouillé de confiture avant de lui coller au menton une barbe en coton. Ce mot immense, sans limites, sans précision, ce mot essence, ce mot fonction, est devenu petit comme un œcuménique. Écrivons donc pour être plus à l'aise : le Principe créateur crée sa Création.

Ça me gêne autant. Cette fois-ci, c'est Jean-Paul Sartre, c'est le prof de philo, l'esprit éclairé par la lampe à gaz du XIXe siècle, celui-qui-n'est-pas-dupe, Homais.

Écrivons : Ce-qui-crée... Et tant pis pour les mots, si vous ne sentez pas ce que je veux dire ce livre est inutile. Et vous aussi. Et moi de même. Ce qui est peut-être la vérité que nous cherchons. Mais nous avons bien le droit d'en espérer une autre.

Ce-qui-crée crée sa Création.

Mais s'il n'y a personne pour la connaître, c'est comme s'il n'avait rien créé. La Création reste comme incréée tant qu'elle n'est pas connue. Le vivant complète l'œuvre de Ce-qui-crée en prenant conscience de ce-qui-est-créé. Rôle magnifique pour l'homme pointe du vivant, rôle exaltant, merveilleux à condition qu'il en soit conscient, qu'il sache, qu'il sente, qu'il vive, à condition qu'il ne traverse pas son temps de vie comme une machine automatique, sourde, aveugle, manchote et absurde.

Mais ce rôle même, qui fait de l'homme conscient l'égal de Dieu, même ce rôle ne peut justifier l'injustifiable. L'existence de mille Univers, de la Création tout entière ne paie pas la souffrance d'un enfant de dix mois que torture une otite, d'une gazelle que la griffe du lion éventre, d'une ablette coupée en deux par les dents d'un brochet.

Rien ne justifie la souffrance des innocents.

Le Tout n'est pas assez pour payer un agneau égorgé.

Si en aucun point de l'Explication ne se trouve celle du sang versé, alors il est normal que vienne le temps de la Bombe.

Ce n'est pas au sang de l'homme que je pense.

Le sang de l'homme ne sera plus versé que par lui-même, et parce qu'il le voudra bien. Et l'homme n'est pas innocent, comme l'agneau ou le tigre. Quand il blesse, tue ou détruit, il le sait. Et il est très rare que ce soit par nécessité. La souffrance de l'homme est la seule pour laquelle il n'ait pas le droit de demander des comptes. Elle est son affaire.

Le sang auquel je pense, c'est celui du grand carnage, dans lequel tout être vivant est plongé dès qu'il vient à la vie, et simplement parce qu'il y vient.

Si l'assassinat général nécessaire à l'entretien de la vie n'a pas d'autre raison que l'entretien de cette vie, si le sacrifice sanglant, dans lequel chaque vivant est le couteau et la gorge tranchée, n'a pas d'autre but que de perpétuer la chair souffrante pour qu'elle puisse continuer à souffrir, alors le système est mauvais, la vie est mauvaise, et il est naturel et logique qu'elle ait finalement produit l'homme et que l'homme ait produit la Bombe.

Ainsi lorsque des ingénieurs fabriquent une nouvelle machine, ils la font tourner jusqu'à l'ultime point de sa puissance. Si elle est réussie, elle franchit cette épreuve et servira à produire ce que ses créateurs ont prévu. Si elle n'est pas réussie, au sommet de son régime, son imperfection la détruit.

1er janvier 1966. Je vais terminer ce livre aujourd'hui, malgré tous les efforts de mes deux petites-filles qui grattent à ma porte, m'appellent, courent dans le couloir après la queue du chien, pleurent, rient, vivent, et ne se doutent de rien. J'ai deux petits-fils aussi, au bord de la mer. Quatre bourgeons qui portent déjà dans leurs cellules innocentes les ordres de la lignée, de l'espèce et de la vie. Et d'ici que ce livre paraisse, peut-être y en aura-t-il un ou deux autres en chemin. La vie, l'amour, l'espèce ne sont pas chiches.

L'année finit l'année commence, la vieille la jeune Terre tourne, tourne sur elle-même, tourne autour du Soleil dans le grand espace vide, tourne comme le dernier valseur qui ne veut pas que le bal finisse. Le Soleil tourne tourne et l'entraîne, entraîne ses planètes qui tournent tournent dans le grand tour touristique de l'interminable galaxie. La galaxie tourne, tourne, l'Univers tourne, la foule fantastiquement innombrable des particules tourne tourne tourne et tout ce tournis tournoyant n'est qu'un infini tourbillon de rien, zéro.

Mes petites-filles courent après la queue du chien. Elles existent parce qu'elles vivent. La seule réalité c'est la vie.

La matière est une illusion, l'Univers n'est que le vent infini du vide, la queue du chien existe parce qu'une petite fille vivante la voit et veut la saisir.

Je me sens aussi jeune qu'elles, plus peut-être à cause de ma curiosité et de ma joie qui sont plus grandes que les leurs. Elles vivent. Moi je sais que je vis. Il m'a fallu beaucoup de temps pour l'apprendre. Et je voudrais savoir tout le reste. A moins d'être Dieu, le temps tout entier n'y suffirait pas.

L'année commence, le jour finit, on va coucher les filles.

Je voudrais déjà avoir écrit le mot fin. Que sera demain matin? Le temps d'un homme est court, le temps des hommes n'aura peut-être pas de fin.

Ils sont peut-être destinés à faire sauter la machine imparfaite.

Mais peut-être au contraire à la perfectionner.

D'ici un siècle, ils auront fait disparaître de la Terre toutes les espèces vivantes autres que la leur. Ils seront au moins cinquante milliards, ils occuperont toute la surface. Il n'y aura plus de place sur les continents ni sous les eaux pour une brebis, un brin d'herbe, une morue. Pour nourrir cinquante milliards d'hommes, on n'aura plus le temps d'attendre que le veau devienne bœuf même dans des étables gratte-ciel ni que la graine devienne carotte, que le blé mûrisse et que le rouge vienne aux fraises. On produira par synthèse, en usine, à l'accéléré, des aliments complets stérilisés, vitaminés, aromatisés, empaquetés par rations, consommables à la sortie de l'emballage. Nous sommes une des dernières générations sauvages mangeuses de laitues et de viande sanglante. Nos pas très lointains descendants frémiront d'horreur à la pensée de ces proches ancêtres qui se nourrissaient de racines, de graines, de tubercules terreux, et qui égorgeaient des bêtes et les coupaient en morceaux pour les manger.

L'homme ayant gagné définitivement la bataille des espèces aura mis fin en les éliminant à leur guerre perpétuelle. L'espèce humaine, seule forme de vie subsistante, tirera directement, par l'usine, sa nourriture des substances minérales. La grande manducation du vivant par le vivant, le cycle de l'assassinat, de la peur et de la souffrance aura pris fin.

L'homme, sommet de l'évolution terrestre, en détruisant ceux qui l'ont précédé, produit, servi, et nourri, mettra un point final au temps douloureux de l'obscure gestation. Tel est peut-être la raison d'être et la justification de l'espèce humaine.

Un autre temps déjà se présente.

La Terre a mûri sa graine et s'apprête à la semer dans les étoiles.

L'homme se trouve devant deux destins possibles : périr dans son berceau, de sa propre main, de son propre génie, de sa propre stupidité, ou s'élancer, pour l'éternité du temps, vers l'infini de l'espace, et y répandre la vie délivrée de la nécessité de l'assassinat.

Le choix est pour demain.

Il est peut-être déjà fait.

Par un homme? par l'Espèce? par la Vie? par le Plan?

Par qui?

Ou par QUOI?

DU MÊME AUTEUR

Aux Éditions Denoël

RAVAGE, 1943. Nouvelle édition revue et modifiée en 1975 (Folio n° 238 ; Folioplus classiques n° 95)

CINÉMA TOTAL. Essai sur les formes futures du cinéma, 1944

TARENDOL, 1946 (Folio n° 169)

JOURNAL D'UN HOMME SIMPLE, 1951. Nouvelle édition en 1982

JOUR DE FEU, 1957

LE VOYAGEUR IMPRUDENT, 1958. Nouvelle édition augmentée en 1985 (Folio n° 485)

LE DIABLE L'EMPORTE, 1959 (Folio Science-Fiction n° 48)

COLOMB DE LA LUNE, 1962 (Folio n° 955)

LA FAIM DU TIGRE, 1966 (Folio n° 847)

LA CHARRETTE BLEUE, 1980 (Folio n° 1406)

LA TEMPÊTE, 1982 (Folio n° 1696)

L'ENCHANTEUR, 1984 (Folio n° 1841)

DEMAIN LE PARADIS, 1986

Au Mercure de France

LA PEAU DE CÉSAR, 1985 (Folio policier n° 64)

Aux Presses de la Cité

LA NUIT DES TEMPS, 1968

LES CHEMINS DE KATMANDOU, 1969

LES ANNÉES DE LA LUNE, 1972
LE GRAND SECRET, 1973
LES ANNÉES DE LA LIBERTÉ, 1975
LES ANNÉES DE L'HOMME, 1976
LES FLEURS, L'AMOUR, LA VIE, 1978
UNE ROSE AU PARADIS, 1981

En collaboration avec Olenka de Veer

LES DAMES À LA LICORNE, 1974
LES JOURS DU MONDE, 1977

Chez d'autres éditeurs

BÉNI SOIT L'ATOME ET AUTRES NOUVELLES
   (1re publication en 1946), *Librio*, 1998
LE PRINCE BLESSÉ, *Flammarion*, 1974
SI J'ÉTAIS DIEU..., *Garnier*, 1976
LETTRE OUVERTE AUX VIVANTS QUI VEULENT
   LE RESTER, *Albin Michel*, 1978
ROMANS MERVEILLEUX, *Omnibus*, 1995
ROMANS EXTRAORDINAIRES, *Omnibus*, 1995
RÉCITS DES JOURS ORDINAIRES, *Omnibus*, 2000

Impression Novoprint
à Barcelone, le 8 avril 2010
Dépôt légal : avril 2010
Premier dépôt légal dans la collection : octobre 1976

ISBN 978-2-07-036847-1./Imprimé en Espagne.